KU-351-420

LIBRARIES NI
WITHDRAWN FROM STOCK

go dtí an lá bán

Síle Uí Ghallchóir
Brighid Ní Mhonacháin
Máirín Uí Fhearraigh
Máire Dinny Wren

Gaoth Dobhair
Tír Chonaill

An chéad chló 2012

ISBN 978-0-9565016-2-2

© Síle Uí Ghallchóir
© Brighid Ní Mhonacháin
© Máirín Uí Fhearraigh
© Máire Dinny Wren

Gach ceart ar cosaint.

Eagarthóir:
Eoghan Mac Giolla Bhríde

Dearadh agus clóchur:
Caomhán Ó Scolaí

Íomhá clúdaigh:
"Muchacha en la Ventana" 1925 © Salvador Dalí, Fundació Gala-Salvador Dalí,
IVARO, Baile Átha Cliath/VEGAP, Maidrid, 2012

Foilsithe le tacaíocht ó

 Údarás na Gaeltachta

*Foilsithe ag Éabhlóid
i gcomhar leis an Chiorcal Scríbhneoireachta*

 An Ciorcal
Scríbhneoireachta

ÉABHLÓID
Gaoth Dobhair
Tír Chonaill
www.eabhloid.com

á thoirbhirt do
Bhríd Ní Bháicéir

Ba mhaith leis an Chiorcal Scríbhneoireachta
a mbuíochas a ghabháil le

Rónán Mac Aodha Bhuí
Mícheál Mac Aoidh
Réiltín Ní Chnáimhsí
Mícheál Ó Domhnaill
Mícheál Ó Fearraigh
Séamus Mac Géidigh
Brian Mac Giolla Chomhaill
Éamonn Mac Niallais

Clár

*Níl aithris sna scéalta seo ar dhuine ar bith
beo ná marbh.*

Réamhrá

Rud faoi leith an scríbhneoireacht chruthaitheach nó bain-
eann sí le páirt mhothálach den aigne agus den spiorad nach
mbíonn deis againn a rannt de ghnáth; thig leis a bheith
fíneálta mar rud, agus sin mar is fearr a dhéantar an ceangal
pearsanta sin leis an léitheoir, ach amanna eile bíonn sé neamh-
thrócaireach, nuair a thugann sé orainn gnéithe áithride den
tsaol a fhiosrú. Is geall le clocha na focail corruair nó thig leo
a bheith cruaidh agus fuar. Nuair a chuireann tú le chéile iad
thig leo a bheith mar bhalla idir tú agus an fhírinne. Thig leo
tú a ghortú chomh maith.

Cad chuige, mar sin, an mbeadh duine ar bith gaibhte léi?
Ach tá cúiseanna fiúntacha léi, creidim, nó tá rud inteacht a
thiomáineann an scríbhneoir cruthaitheach le ghabháil sa
tóir ar fhíricí seachantacha a sciorrann síos faoin chraiceann
agus iad a nochtadh nó tugann sé deis dó na rudaí sin a phlé
agus a chur i láthair do phobal léitheoireachta, rud a chuid-
íonn in amanna linn fáil thaire chonstaicí an tsaoil. Lena
chois sin, sa tóraíocht bíonn sásamh áithrid le fáil nuair a
aimsítear seod bheag ar bith a bhí ceilte orainn agus is mór
an t-ardú croí a thugann sé. I scéalta cigilteacha, bíonn rud
inteacht a bheir orainn athdhearcadh a thabhairt ar an tsaol
atá thart orainn agus é a mheas aríst.

Rud faoi leith atá sa Chiorcal Scríbhneoireachta, chomh maith, mar go dtugann sé daoine éagsúla le chéile leis an aidhm chéanna sin a bhaint amach: an cnuasacht fómhair sin a chruinniú, cnónna agus sméara na samhlaíochta a phiocadh agus iad a rannt. Sa Chiorcal Scríbhneoireachta pléann muid scéalta agus focail, nathanna agus smaointe. Déanann muid é sin siocair go bhfuil dúil againn ina leithéid agus sílim go bhfuil muid ádhúil go bhfuil an deis sin againn. Bíonn muid mar lucht éisteachta agus mar chrann taca dá chéile agus baineann muid sult as. Déanann muid iarracht fosta ciall a bhaint as na tallannacha a thugann orainn féin scríobh sa chéad dul síos, agus a thugann orainn síneadh amach i dtreo lucht léitheoireachta. Ach is é an phríomhsprioc atá romhainn ná scéalta a chumadh agus a inse ar ár mbealach féin agus inár nglórtha féin — scéalta a bheas taitneamhach, siamsach, cruthaitheach agus úr, tá súil againn. Scéalta a mhusclaíonn an tsamhlaíocht, atá dúshlánach in amanna, ach atá i gcónaí fíor dúinn féin.

Sna 15 scéal atá sa chnuasacht seo tá gnéithe faoi leith den tsaol á gcíoradh i stíl phearsanta gach scríbhneora. Tá a bhlas féin ar gach scéal; is sliseanna éagsúla den tsaol iad, gnéithe a théann i bhfeidhm ar an scríbhneoir é féin agus a thugann air scagadh a dhéanamh ar an tsaol ina bhealach féin. Cé gur scéalta ficsin iad na gearrscéalta go léir, tá sé soiléir gur shíolraigh siad ó thaithí na scríbhneoirí féin ar an tsaol. Tugann gach scríbhneoir a dhearcadh leithleach féin go glé, gan leisc ná leithscéal agus ina ghlór muiníneach féin.

Sa chnuasacht scéalta seo, faigheann muid spléachadh ar shaol an cheantair agus léiriú sainiúil na mban ar an tsaol chomhaimseartha. Mar is dual do ghrúpa scríbhneoirí éagsúla, tá éagsúlacht ábhair agus éagsúlacht stíle sna scéalta. Scéalta do dhaoine fásta is mó ach tá scéalta anseo chomh maith a bhaineann le gnéithe de shaol an aosa óig, scéalta eile a bhfuil macallaí an bhéaloidis iontu agus cuid a eascraíonn ó chuimhní an cheantair. Rud atá le feiceáil go láidir fríd an chnuasacht ná meon na mban agus dearcadh na mban ar an tsaol.

Más cruthanna cruaidhe na focail amanna, d'fhéadfá a rá go bhfuil an gearrscéal cosúil le claí cloiche ar go leor bealaí. Tógtar gach claí, cloch ar chloch, gach cloch san áit cheart, ar nós mar a thógtar gearrscéal le focail. Bíonn ar an chlaí mairstin agus cur suas le síon agus le fearthainn. Cuid acu, bíonn siad dlúth agus leathan agus leis an láidreacht sin a sheasann siad an doineann. Cuid eile, séideann an ghaoth fríd na poill a fhágtar iontu d'aon ghnoithe, agus fríd sin a fhanann siad ina seasamh. Tá a stíl féin tógála ag gach saor cloiche. Níl ag an tsaor ach na clocha, ar an dóigh chéanna nach bhfuil ag an scríbhneoir ach na focail. Bíodh siad cruaidh agus fuar leo féin ach le chéile tugann siad foscadh.

Ach is féidir le focail crochadh san aer agus ní féidir le clocha. Sin an draíocht atá sa scéalaíocht agus sin an áit a dtiteann an meafar as a chéile. Feictear an draíocht sin sna scéalta seo agus tá cumas acu ár saol a athrú má ligeann muid daofa.

Eoghan Mac Giolla Bhríde
Aibreán 2012

Máire Dinny Wren

As Cois Cláidí i nGaoth Dobhair do Mháire Dinny. Chaith sí tréimhse fhada dá saol i Londain. Phill sí go hÉirinn i 1999 agus tá sí ar ais ina cónaí i gCois Cláidí le cúpla bliain. Tá cnuasacht filíochta scríofa ag Máire dar teideal *Ó Bhile go Bile* a d'fhoilsigh Coiscéim i 2011 agus bhuaigh sí comórtas filíochta Uí Néill leis an dán 'Lúb ar Lár' sa bhliain chéanna. Tá go leor de chuid filíochta agus gearrscéalta Mháire curtha i gcló in irisleabhair Ghaeilge le blianta anuas agus i 2010 bhain gearrscéal léi, 'Ag Téarnamh chun Baile', duais Fhoras na Gaeilge ag Féile Litríochta Lios Tuathail. Tá sí mar bhall bunaidh de Chiorcal Scríbhneoireachta Ghaoth Dobhair. Tá sí pósta ar John.

Idir Cleith agus Ursain

Tharraing Gráinne an chídeog a bhí caite ar an urlár thart uirthi féin agus rinne í féin a chuachadh inti. Bhí gach ball dá corp ar bharra creatha. D'fhan sí ina luí san áit ar thit sí ar an urlár go raibh sí cinnte go raibh sé ina chodladh. Bhí sí loitithe agus greadfach ina taobh agus ina droim agus ní raibh sí cinnte an mbeadh sí ábalta bogadh.

Le gach díoscadh a chuala sí ag clár urláir, shamhail sí go raibh a fear céile ag teacht ina treo arís le greasáil eile a thabhairt di. Bhí a croí ag bualadh chomh hard sin agus go raibh eagla uirthi go gcluinfeadh sé é ag preabadaigh ina cléibh.

Luigh sí ansin chomh critheaglach le luchóg a bheadh ag iarraidh ceathrú anama ar chat, an boladh biotáilte sa tseomra ag cur fonn orla uirthi.

Chonaic sí an t-irisleabhar a bhí sí a léamh sa leaba ní ba luaithe ina luí ar an urlár. Bhí sé foscailte ar leathanach ar a raibh pictiúr de theaghlach ina suí thart ar thábla ag ithe béile — athair, máthair agus beirt pháistí. Bhí cuma shona orthu, aoibh an gháire orthu uilig. Dhún sí a cuid súile.

Nuair a chuala sí Diarmaid ag srannfaigh, rinne sí lámhacán boilge trasna an urláir a fhad leis an tseomra folctha. Ní raibh tapadh inti; b'éigean di stopadh achan chúpla bomaite de bharr na péine a bhí ina cliabh. Nuair a shroich sí an seomra folctha, dhruid sí an doras agus chuir sí an glas air.

Mhothaigh sí rud beag ní ba shábháilte ach ní ligfeadh an eagla di an solas a chur ar siúl ar eagla go musclódh fuaim an ghaothráin Diarmaid. Tháinig sámhán laige uirthi agus shuigh sí ar chlár an leithris. Chrom sí a cloigeann go bhfuair sí thairis.

Bhí eagla uirthi go raibh a cuid easnacha briste. Bhí sí cinnte nach stopfadh Diarmaid ach go bé gur lig sí uirthi féin go raibh sí gan aithne gan urlabhra. Thuig sí ansin gur chuma le Diarmaid cé acu bhí sí beo ná marbh.

Nuair a fuair sí a hanáil léi chuaigh sí a fhad leis an doirteal, chas an sconna agus dhoirt braon uisce ina bos agus d'ól sí bolgam. Chuir sí a lámh ar a haghaidh agus mhothaigh sí an t-at faoina súl. Bhí eanglach ina gaosán agus ina leicinn.

Chuimhnigh sí go raibh cógais phianmhúcháin sa chófra. Choinnigh sí greim daingean ar an doirteal go bhfuair sí na cógais as an chófra. Chaith sí dhá tháibléad. Bhí sí ag cur na gcógas ar ais sa chófra nuair a leag sí buidéal táibléad. Bhain sé cleatráil as na tíleanna. D'éist sí go cúramach. Níor chuala sí a dhath. D'fhan sí socair … d'ól braon beag eile uisce, ansin shuí ar chlár an leithris arís.

Chuimhnigh Gráinne ar an chéad uair a thóg sé lámh léi. Thug sé buidéal cumhráin mar bhronntanas di ar a breithlá. Lig sí don bhuidéal titim ar an urlár agus rinneadh smionagar de. An chéad rud eile bhí sí sínte in áit na mbonn ar an urlár. Tharla sé chomh tobann sin nach dtiocfadh léi é a chreid-bheáil. Ba mhór an trua nár shiúil sí amach an lá sin ach thug sí maithiúnas dó nó shíl sí nach raibh ann ach seachrán a tháinig air agus gheall sé nach dtarlódh sé arís.

Anois bhí sí tuartha tuirseach den tsaol a bhí aici. Nach mbeadh áit ar bith ní b'fhearr ná gleann na bpian inar mhair sí? Choinnigh na focail a dúirt Diarmaid nuair a shíl sé í bheith ó cheap agus ó choisíocht ar an urlár ag teacht ar ais chuici — 'Rannfainn do cheithre chnámha ar a chéile, a bhitseach gan úsáid!'

Níor thuig sí cén fáth a raibh sé chomh bródúil i gcónaí nó cén dóigh a dtiocfadh leis ligint air féin nár tharla rud ar bith. Caidé mar a fágadh san fhaopach seo iad? Cén fáth a raibh fuath aige uirthi? Caidé a rinne sí contráilte? Choinnigh sí cluain ar na deora. Caidé an mhaith di bheith ag gol in áit na maoiseoige? 'Seo báire na fola,' a dúirt Gráinne ina hintinn féin. Mura ndéanaim anois é ní dhéanfaidh mé choíche é!

D'éirigh sí agus bhain sí an glas den doras agus d'fhoscail go réidh é. D'éist sí. Chuala sí Diarmaid ag séidearnaigh. Théaltaigh sí amach as an tseomra folctha agus anonn an t-urlár. Choinnigh sí leathshúil ar a fear céile sa leaba. Bhí sé ina chnap codlata; níor chorraigh sé. Smaointigh sí ar chúpla ball éadaigh a fháil as an phrios. Bheadh sé ródhainséarach. D'fhoscail sí an doras go cúramach agus amach léi. Chuaigh sí síos an staighre. Tharraing sí uirthi cóta. Thóg sí a mála agus a fón póca agus na heochracha agus amach an doras tosaigh léi.

Nuair a chonaic sí go raibh carr Dhiarmaid sa bhealach b'éigean di pilleadh. Ámharach go leor bhí na heochracha ina suí ar bharr an tábla sa halla. Bhog sí a charr agus dhing na heochracha isteach ar bhosca na litreach. Rinne siad trup mór nuair a bhuail siad an t-urlár. Dheifrigh sí a fhad lena carr.

Chuir sí an glas ar na doirse nuair a shuigh sí isteach.

D'amharc sí suas i dtreo fhuinneog an tseomra leapa. Bhí na dallóga druidte agus ní raibh solas ar bith le feiceáil. Chas sí an eochair agus thiomáin sí síos an bóthar i dtreo an tsráidbhaile. Nuair a shroich sí an croisbhealach ní raibh sí cinnte cén treo a rachadh sí. Thiontaigh sí ar dheis, gan fhios aici cá raibh a triall.

Bhí a lámha ar crith agus d'amharc sí fá choinne áit ar thaobh an bhealaigh leis an charr a tharraingt isteach go bhfaigheadh sí deis í féin a shocrú. Tharraing sí isteach i gcarrchlós an ollmhargaidh. Chuimhnigh sí go raibh uimhir i dtaisce aici ina sparán. Nuair a d'fhoscail sí a mála chonaic sí go raibh sé lán sliogáin bheaga trá. Smaointigh sí ar an lá ar an trá leis na páistí. Sin a raibh fágtha aici anois, conamar beag ... bhí achan rud briste ... achan rud caillte anois.

Nuair a d'imigh Diarmaid a dh'imirt gailf an lá roimh ré, shocraigh Gráinne na páistí a thabhairt 'na trá. D'ullmhaigh sí picnic dheas; phacáil sí tuáillí agus cultacha snámha agus d'imigh siad. Ag trasnú an droichid daofa, thug Gráinne fá dear an áit a dtugadh siad Sraith an tSeagail air, faoi dhealramh na gréine. Bhí sé lán de chloigíní gorma agus d'fhearbáin féir. Chonaic sí an tseanáithe aoil ansin ina lár. Mhuscail sé mearchuimhne ina hintinn ach tháinig an t-aighneas ó chúl an chairr.

'Níl a leithéid de rud ann agus dobharchú!' a bhí Eoin ag rá.

'Tá fosta! Mar chonaic mise é!' a d'fhreagair a dheirfiúr.

'Agus chonaic mise *aliens* ar an lána....'

'Tá sé ina chónaí faoin droichead, a dúirt Aoibhinn.'

'Agus creideann tusa achan rud a deir do chara Aoibhinn!'

'Sé! Agus creideann tusa achan rud a deir do chara Caomhán,' a dúirt Éimear.

'Éistigí, a pháistí! Cé acu trá arbh fhearr libh a ghabháil chuige?'

'An trá dhearg,' a dúirt Eoin go gasta.

'An trá bhán,' a dúirt Éimear.

'An trá dhearg,' a dúirt Eoin arís.

'Bán.'

'Dearg.'

Nuair a bhí an phicnic déanta agus a sáith ite acu, chuaigh Éimear a thógáil caisleáin sa ghaineamh agus thosaigh Eoin a chiceáil báil. Shuigh Gráinne ar ruga ag amharc ar na páistí agus ag léamh leabhair. Ní raibh a hintinn air, áfach.

'Cad chuige nach dtéann muid a shnámh?' a dúirt Diarmaid.

'Níl mo chulaith shnámha liom....'

'Ach, nach cuma! Nach bhfuil sé ag gabháil ó sholas ... cé atá ag gabháil do d'fheiceáil?' a d'fhreagair sé, ag caitheamh de agus ag imeacht ina rith i dtreo na habhann.

'Seo, an bhfuil tú teacht?'

Chaith sí di agus lean sí isteach é. Bhí sé corradh is fiche bliain ó shoin ach chuimhnigh sí air ach oiread is gur inné a tharla sé ... ach anois mhothaigh sí go raibh siad ag snámh in éadan an tsrutha.

'A mhamaí! A mhamaí! Amharc! Is mise an bhanfhlaith agus seo mo chaisleán,' a dúirt Éimear, nuair a bhí an caisleán tógtha aici.

'Tá sé galánta, a thaiscidh.'

'Thig leatsa agus le Daidí agus le hEoin a theacht a chónaí ann fosta. Tá sé mór go leor dúinn uilig.'

'Níl mise ag iarraidh bheith i mo chónaí i gcaisleán,' a dúirt Eoin. 'B'fhearr liomsa a bheith i mo chónaí i dteach mór i Manchain agus bheith ag imirt do Man United.'

Thart ar a sé a chlog tráthnóna, mhothaigh Gráinne an fuacht agus thosaigh sí a chruinniú achan rud le chéile agus chuir sí an ciseán picnice agus na tuáillí agus deireadh isteach sa charr.

Ní raibh na páistí ag iarraidh an trá a fhágáil. Lig sí daofa leanstan den spraoi go raibh deireadh istigh sa charr aici. Chonaic sí go raibh pictiúr maisithe le sliogáin trá tarraingthe ar an ghaineamh ag Éimear. Bhí sé deartha i gcruth croí aici agus na hainmneacha Diarmaid, Gráinne, Éimear agus Eoin scríofa aici taobh istigh. Sular fhág siad an trá, ghlac Gráinne cúpla pictiúr de na páistí.

'Tóg pictiúr de mo chroí agus de mo chaisleán álainn, a mhamaí,' a dúirt Éimear.

'Tógtar dúnfoirt chun go leagtar iad,' a dúirt Eoin agus é ag ciceáil an bháil i dtreo an chaisleáin.

Cé nár lig Éimear a dhath uirthi féin d'aithin Gráinne go raibh sí briste.

'Seo, ná bí buartha,' a dúirt Gráinne ag déanamh croí isteach léi, 'tá an pictiúr agam sa cheamara.'

'Nach bhfuil an trá mór go leor agat le bheith ag ciceáil do bhál thart?' a bhagair Gráinne ar Eoin.

'Ach, ní mise a rinne sin. Wayne Rooney a rinne é ... imríonn sé níos fearr ar an trá dhearg ... sin an fáth a dteachaidh an cic sin ar fóraoil.'

'Bhí muid ar an trá dhearg an lá deireanach … agus an tseachtain roimhe sin … faigheann tusa do dhóigh féin i gcónaí,' a dúirt Éimear agus í ag tógáil an bháil.

'B'fhearr liomsa Caoimhín Ó Casaide lá ar bith,' a dúirt sí lena deartháir ag ciceáil an bháil amach sa lán mara.

'Stadaigí, le bhur dtoil, a pháistí!' a scairt Gráinne. 'Thógfadh an callán atá agaibh blaosc na cloigne de dhuine … tá an t-am againn bheith ag imeacht.'

Chuaigh Eoin amach sa tsáile agus fuair sé an bál agus thoisigh Éimear a phiocadh suas na sliogáin.

'Gheobhaidh muid rud inteacht deas sa tsiopa ar an bhealach go teach Mhóraí,' a dúirt Gráinne agus iad sa charr.

Stop Gráinne ag garáiste ar an bhealach 'na bhaile agus cheannaigh sí uachtar reoite agus milseáin do na páistí. Cheannaigh sí cáca milis agus brioscaí le tabhairt léi go teach a máthara. Bhí na páistí ag gabháil a fhanacht i dtigh a máthara an oíche sin, mar a rinne siad gach oíche Dhomhnaigh nuair a bhí an scoil druidte. Bhíodh sé de nós ag Diarmaid agus Gráinne a ghabháil go dtí an teach ósta oíche Dhomhnaigh, tráth den tsaol. Cé nach dteachaidh siad amach oíche Dhomhnaigh le fada an lá anois, níor lig Gráinne a dhath uirthi féin lena máthair.

Chaith Gráinne uair an chloig i dtigh a máthara agus thart ar a hocht a chlog thiomáin sí 'na bhaile.

Tar éis na nuachta ar a naoi, choimhéad Gráinne scannán ar an teilifís. B'annamh a fuair sí an deis a rogha rud a choimhéad. Sula dteachaidh sí a luí d'ullmhaigh sí cúpla ceapaire do Dhiarmaid agus chuir sa chuisneoir iad. Chuaigh sí suas an staighre ar leath i ndiaidh a haon déag. Ar feadh tamaill léigh sí irisleabhar a bhí ina fhorlíonadh leis an nuachtán agus thit sí ina codladh agus na spéacláidí uirthi faoi mar a thit go minic.

Bhí sé i ndiaidh an mheán oíche nuair a tháinig Diarmaid 'na bhaile. Thóg sé neart trup agus tormáin sa chisteanach. Chuala Gráinne é ag líonadh an chitil agus ag foscailt an chuisneora. Bhí sí leath ina codladh nuair a tháinig sé aníos an staighre agus é ag strócadh mionnaí móra. Faoin am a chuala Gráinne an tamhach táisc, bhí sé rómhall agus ní raibh faill aici teitheamh go dtí an seomra folctha.

'Tae dubh, an bé...? Tae dubh, a bhitseach...!'

Choinnigh sí an t-inneall ar siúl mar go raibh sí fuar. Shoiprigh sí í féin sa chóta mhór. Bhí an carrchlós folamh agus an solas ard flannbhuí a bhí taobh thiar di ag caitheamh scáile thall is abhus. D'amharc sí ar an am — a cúig a chlog. Caidé a dhéanfadh sí anois? Cá háit a rachadh sí? Chuig a cara, Anna? Thuigfeadh sise a cás. Nuair a chlis ar a pósadh bliain ó shoin thug Gráinne achan tacaíocht di. Nach beag a shíl sí an t-am sin go mbeadh sí féin sa bhád chéanna. Chaithfeadh sí fanacht tamall, ní thiocfadh léi glaoch uirthi go fóill. Ní thiocfadh léi a ghabháil go teach a máthara ach an oiread. Níor mhaith léi go bhfeicfeadh a máthair ná na páistí mar seo í. Chas sí air an raidió.

Now those memories come back to haunt me —
they haunt me like a curse.
Is a dream a lie if it don't come true
Or is it something worse?

Bruce Springsteen a bhí ag ceol; amhrán a raibh dúil mhór aici féin agus ag Diarmaid ann. Chuimhnigh sí ar an cheolchoirm i Sláine. Chuaigh siad suas ar an bhus agus d'fhan siad i dtigh lóistín i mBaile Átha Fhirdhia. Bhí an leaba ag gliúrascnaigh agus ar maidin níor tháinig siad anuas fá choinne bricfeasta mar go raibh eagla orthu gur chuala achan duine iad.

Cheannaigh siad na t-léinte agus chaith siad an lá arna mhárach iad. Choinnigh sí ceann s'aici. Bhí sí aici áit inteacht. Ach níl sé agam anois, smaointigh sí. Bhí sí sa bhaile cosúil le achan rud eile — a cuid éadaí, leabhair, seodra, an cúpla píosa beag a bhí aici. Nár dheas dá mbeadh siad i ngrá mar sin arís.

B'fhéidir go n-athródh Diarmaid a chuid béasa dá dtabharfadh sí seans eile dó? Las sí an solas agus d'amharc sí ar a haghaidh sa scáthán. Bhí marc dorcha ar a leiceann faoina súile. Chóir a bheith nár aithin sí í féin. Bhí droch-chuma uirthi. Diarmaid ba chúis leis. Thóg sí buidéal beag bonnsmididh as a mála agus rinne sí iarracht an marc a chumhdach ach níor éirigh léi. D'amharc sí uirthi féin arís sa scáthán agus mhúch sí an solas go gasta. Tháinig na deora léi. Nuair a bhí an racht curtha di mhothaigh sí rud beag ní b'fhearr. Thriomaigh sí a haghaidh.

D'amharc sí ar an fón, ní raibh sé ach leath i ndiaidh a cúig. D'amharc sí ar an phictiúr a bhí ar an scáileán, pictiúr de Dhiarmaid agus di féin agus de na páistí, an lá a chuaigh siad chuig an zú — Éimear a chuir suas é. Bhrúigh sí na cnaipí gur aimsigh sí an painéal rialúcháin agus d'athraigh sí an pictiúr. Chuir sí pictiúr de na páistí mar chúlbhrat úr ar an fón.

Thóg sí a mála agus chuir sí a lámh isteach agus thug amach píosa páipéir. D'amharc sí ar an uimhir a bhí scríofa air. Ní raibh sí ábalta é a dhéanamh....

Rachadh sí chuig a cara, Anna. D'inseodh sí an scéal uilig di. Gheobhadh sí cúpla ball éadaigh ar iasacht uaithi. Chaithfeadh sí cuma a chur uirthi féin sula rachadh sí go teach a máthara leis na páistí a bhailiú!

Thiocfadh léi féin agus na paistí fanacht i dtigh lóistín sa bhaile mhór ar feadh cúpla oíche. D'fhoscail sí a sparán. Bhí ochtó euro ann. Smaointigh sí ar an airgead a bhí i dtaisce aici sa Chomhar Creidmheasa. B'fhéidir gur fhéad di glaoch a chur ar an uimhir chabhraigh ... bheadh siad ábalta lóistín a chur ar fáil daofa i dtearmann do mhná agus do pháistí. Bheadh siad sábháilte ansin.

Ach ní bheadh ann ach rud sealadach. Chaithfeadh sí áit chónaithe bhuan a fháil di féin agus do na páistí. Chaithfeadh sí scoil úr a chuartú daofa. Ní bheadh siad ábalta fanacht sa cheantar ná sa chontae fiú. Níl a fhios cén áit a rachadh siad. Bheadh uirthi a ghabháil ar ais ag obair go lánaimseartha. D'amharc sí thart ar an charrchlós. Bhí sé fuar, folamh. Chonaic sí soilse cairr ag teacht. Tháinig eagla uirthi. Mhúch sí an t-inneall. Choimhéad sí an carr go dteachaidh sé thart. Smaointigh sí gurbh fhearr di giota a bhaint de ar eagla go dtiocfadh Diarmaid á cuartú. D'amharc sí ar an fón ... bhí sé chóir a bheith a sé. Bhí sé róluath glaoch a chur ar Anna go fóill.

Smaointigh sí ar na páistí ... bheadh siad ina gcodladh. D'amharc sí ar an phictiúr ar an fón. Tháinig tocht ina sceadamán ach choinnigh sí cluain ar na deora. Chas sí an eochair sa charr agus thiomáin sí amach as an charrchlós agus nuair a tháinig sí a fhad leis an chroisbhealach stop sí. D'amharc sí ar chlé — an bealach 'na bhaile — an áit ar chaith sí na deich mbliana dheireanacha dá saol. Ní bheadh sí ag pilleadh ann go deo. Thiontaigh sí an rotha ar dheis.

Thar an Tairseach

'An bhfuil aon duine eile anseo?'

'Níl … níl anseo ach mise!'

'Agus cé thusa?'

Seasann Nuala ag an fhuinneog ag amharc amach. Tchíonn sí an tSeisreach agus na réalta ag bruidearnaigh ar Bhealach na Bó Finne. Tá smúid ar an ghealach.

'Cén lá atá ann?' a fhiafraíonn an bhean eile di.

'Dé Luain.'

Dilín ó deamhas, ó deamhas.
Dilín ó deamhas ó dí.
Dilín ó deamhas, ó deamhas, ó deamhas,
Dilín ó deamhas ó dí.

Goirm i gcónaí, i gcónaí
Goirm i gcónaí domh.
Goirm i gcónaí, i gcónaí, i gcónaí
Maidin Dé Luain ab fhearr.

… a deir an bhean eile.

Lá bláth amháin seasann Nuala ag an fhuinneog. Tchíonn sí bláthanna agus féileacáin ildaite fá dtaobh daofa. Tchíonn sí grianán an fhíona a dtig friothamh na gréine ar a chúl. Tchíonn sí fear ag siúl síos an bóthar.

'Tar ar ais,' a deir sí, ach ní chluineann sé í.

'Cén lá atá againn?'

'Dé Máirt.'

Ar maidin Dé Máirt bhí ábhar mór goil agam féin
Bhí na gloiní ar clár is iad lán amach go dtí an béal
Gach cumann is gach cás, a mhíle grá, a raibh eadrainn
  ariamh
Mo chúig mhíle slán le do lámh a bhí tharam is nach
  mbíonn.

... a deir an bhean eile.

Seasann Nuala ag fuinneog na cisteanadh ag amharc amach. Níl aon duine ag teacht an bealach mór. Tá marbhán samhraidh ann. Tchíonn sí sméara agus sú craobh ag fás ar bharr na gcraobh. Tagann léaró de sholas na gréine isteach agus titeann ar na bláthanna atá sa vása. Cluineann sí tic teaic an chloig.

'Cén lá atá againn?'

'Dé Céadaoin.'

Nuair a d'éirigh mé ar maidin Dé Céadaoin
Níor choisreac mé m'éadan, faraor,
Nó gur bheir mé ar an arm a ba ghéire
Agus chuir mé a bhéal le cloich líomhtha.

Dá mbeinnse seacht mbliana faoin talamh
Nó i bhfiabhras na leapa 'mo luí
A chéadsearc, dá dtigfeá 'gus m'fhiafraí
Scéal cinnte go mbeinn leat 'mo shuí.

... a deir an bhean eile.

Seasann Nuala ag an fhuinneog. Tchíonn sí madadh doininne sa spéir. Tchíonn sí cár bán ar an fharraige agus cuil nimhneach ar na spéartha. Cluineann sí an ghaoth mhór ag rúidealaigh agus ag béicigh. Tá seacht síon ar an aimsir.

'Cén lá atá ann?'

'Déardaoin.'

A Rí Déardaoine, maith ár bpeacaíne do dhein do dhlí a
*   réabadh,*
A Rí na hAoine, ná coinnigh cuimhne ar mo
*   dhrochghníomhartha baotha,*
A Rí an tSathairn, go síoraí achainím mé a thabhairt
*   thar Acheron chaorthainn,*
Faoi dhíon do thearmainn, trí ríocht an Aifrinn, suas go
*   Parthas Naofa.*

A Bhanríon oirirc, a Bhanríon shoilbhir, a Bhanríon
*   sholais na gréine*
Ní haon tsaibhreas atá uaim uaitse, ach leigheas ar
*   dhochar mo phéine*
Na sluaite borba a bhí ag gabháil ormsa is rug im'
*   chodladh orm tréimhse,*

*Cuir cogadh orthu mar churadh cosanta is tabhair ón
    ghoradh Lá an tSléibhe mé.*

... a deir an bhean eile.

Suíonn an bheirt bhan ag an tábla. Itheann siad arán. Ólann
siad tae. Éisteann siad leis an nuacht. Cogaí, gortaí, tuilte,
tubaistí. Taobh amuigh den fhuinneog tá spideog bhroinn-
dearg ar chraobh ag gabháil cheoil. 'Nach méanar duit!' a deir
Nuala.

Téann sí chuig an fhuinneog agus ghní sí iarracht é a
fhoscailt ach ní féidir léi. Tá sí faoi ghlas.

'Cén lá atá ann?'

'Dé hAoine.'

*Triallfaidh mo thórramh tráthnóna Dé hAoine,
Agus ar maidin Dé Domhnaigh fríd na bóithre os íseal,
Tiocfaidh Neilí agus Nóra agus ógmhná na tíre,
Is beidh mé ag éisteacht lena nglórtha faoi na fóide is mé
    sínte.*

... a deir an bhean eile.

Téann Nuala a fhad leis an doras agus ghní iarracht é a
fhoscailt ach tá sé faoi ghlas. Téann Nuala a phóirseáil, a
rútáil, a shéirseáil. Tiontaíonn sí an teach bun os cionn. Tá sí
ar lorg eochrach. Níl fáil uirthi.

'Cén lá atá againn?'

'Dé Sathairn.'

Faoiseamh a gheobhadsa
Seal beag gairid
I measc mo dhaoine
Ar oileán mara,
Ag siúl cois cladaigh
Maidin is tráthnóna
Ó Luan go Satharn
Thiar ag baile.

... a deir an bhean eile.

Seasann Nuala ag an fhuinneog. Tá saighneáin sna glinnte agus tagann gach dealramh isteach ar an fhuinneog go formhothaithe mar bheadh cuimhne nach raibh sásta a ghabháil chun dearmaid. Tá a samhailteacha mar bheadh tonnta móra ann ag neartú agus ag búirthigh i dtús doininne.

'Cén lá atá ann?'
'Dé Domhnaigh.'

Ní fheicim bádaí 'gabháil an barra,
Ní fheicim daoine amuigh ag snámh,
Ní fheicim slóite Domhnach Earraigh,
Síos fán Bháinsigh mar ba ghnách.
D'imigh an spórt as Tóin an Bhaile,
D'éag an seandream a bhí sámh,
Mo chumhaidh 'na ndiaidh nach mór a' chaill é
Iad bheith scartha uainn mar tá.

... a deir an bhean eile.

'An bhfuil aon duine eile anseo?' a deir an bhean eile.

'Níl … níl anseo ach mise?'

'Agus cé thusa?'

Tógann Nuala an casúr. Siúlann sí a fhad leis an doras. Tosaíonn sí a bhualadh buillí ar an doras le hiomlán a cuid urraidh. Déanann an bhean eile iarracht í a stopadh. Ach coinníonn Nuala uirthi.

Briseann sí an doras anuas.

'Slán leat,' a deir Nuala.

'Cá bhfuil tú ag gabháil?' a deir an bhean.

'Níl mé cinnte,' a deir Nuala.

'Mo chúig chéad slán leat,' a deir an bhean eile.

Siúlaim as an smionagar, céim ar chéim,
Leanaim rian na réalta Bealach na Bó Finne siar.
Manrán an tsrutháin is drandán na mbeach meala
Is ceiliúr na céirsí 'mo chomóradh sa tslí.

Déanaim mo bhealach fríd chríocha aineolach'
As scáth an tsléibhe go ciumhais na trá.
M'intinn chomh suaite le muirn na dtonn
Faighim faoiseamh i bhfaoil-cheol na mara tráth.

Glór nach n-aithním le loinneog cheolmhar
Ag baint macalla as na beanna 's ag ardú mo chroí.
Teannann téada mo ghutha le focail mo mheanma
Is le bé na héigse 'mo threorú téim mo bhealach féin.

Páirc Fheilimí

Nuair a chuaigh Cití amach 'na gharraidh maidin Dé Domhnaigh a bhaint ghlasraí agus luibheanna fá choinne an dinnéara chonaic sí an t-eallach istigh sa gharradh bheag ar chúl an tí. Choscair sé í.

Chuir sí an ruaig orthu ach bhí an dochar déanta. Bhí lorg na gcrúb ar fud an gharraidh agus bhí damáiste déanta do na luibheanna agus do na glasraí. Ghlan sí suas na plandaí a bhí trampáilte ar an talamh. Tharraing sí cúpla meacan dearg agus bhain cnag den chreamh coilleadh agus píosa beag den mhiontas fhiáin a bhí fágtha. Chomh luath agus a phill sí chun tí chuir sí glaoch ar Úna Mhicí le hinse dithe go raibh a gcuid eallaigh istigh ina garradh agus go raibh siad anois amuigh ar an bhealach mhór.

Bhí sí díreach ag tógáil na huaineola as an oigheann nuair a tháinig Éamonn anuas an staighre. Bhí a fhios ag Cití go raibh oíche mhall aige agus bhí a fhios aici fosta nach gcuirfeadh seacht gcatha na Féinne ina shuí é go mbeadh a sháith codlata aige. Ach bhí sé seanaimseartha go leor anois agus bhí a fhios aici go mbeadh seachtain chruaidh roimhe. Nuair a bhí a mhála curtha sa charr aige, shuigh Éamonn tamall ag caitheamh súl ar nuachtán agus ag ól caife. Dhoirt Cití amach braon sú agus shuigh an bheirt ag an tábla.

'D'fhiafraigh mé den Chigire Bheag aréir caidé a bhéarfadh sé domh ar pháirc Fheilimí ... dúirt sé go bhfaigheadh sé margadh maith domh,' arsa Éamonn agus é ag ól an tsú.

Níor lig Cití uirthi féin gur chuala sí an rud a bhí ráite ag Éamonn. Chríochnaigh sí a cuid sú agus ghlan na grabhróga den tábla le naipcín. Nuair a bhí an sú ólta ag Éamonn, thóg sí na plátaí.

'Ach, nach mbeifeá ag smaointiú bogadh 'na bhaile amach anseo?'

'Tá mo chuid oibre agus mo chairde uilig i mBaile Átha Cliath. Ar scor ar bith, dúirt an Cigire Beag go dtiocfadh sé aníos le hamharc ar an pháirc an tseachtain seo agus ansin beidh sé ábalta barúil a thabhairt domh caidé is fiú í.'

'Arú maise, an bithiúnach cáidheach, cé bith cén méid a bhéarfadh seisean duit uirthi bí cinnte go ndíolfadh sé ar dhá oiread í!'

D'fhoscail Éamonn amach an nuachtán ag forlíonadh an mhargaidh tithíochta.

'Bíodh a fhios agat go bhfuil an pháirc sin níos fearr ná hairgead sa bhanc agat,' arsa Cití.

Bhain sí scian mhór as an drár agus thoisigh ag gearradh na feola.

'3 Millmount Place, Drumcondra. Charming two bedroom, mid terrace residence with east facing rear.... Luach €195,000. Tá margadh maith ar thithe agus ar árasáin anois ... nach bhfuil sé dochreidte?' a dúirt Éamonn. Chaith sé an páipéar ar leataobh.

Rann Cití amach an uaineoil ar na plátaí chomh maith le prátaí rósta agus meacain dhearga. Chuir sí sú an mhiontais i gcrúiscín beag agus d'fhág ar an tábla é.

'An bhfuil tú ag déanamh dearmad de mhuintir Mhicí Shéarlaí Nóra thíos anseo?' arsa Cití agus í ag doirteadh súlach na feola ar phláta Éamoinn.

'Nár dhoiligh domh sin a dhéanamh daofa agus an scrios a rinne a gcuid eallaigh ar do gharradh ... agus ar an lána. Chonaic mé é nuair a bhí mé amuigh ag cur mo mhála sa charr. Aníos agus síos an bealach mór ag déanamh ródaigh atá an t-eallach sin. Ba cheart searacháin a chur orthu. Agus an bhfaca tú an cabhsa? Tá sé ina charn aoiligh ceart acu!'

'Ach, tá sin ar a gcuid talaimh féin!'

'Tá sé ag cur droch-chuma ar an áit ... an t-aon bhealach isteach 'na páirce ón bhealach mhór.'

'Bhuel, tú féin a thug an pháirc ar cíos daofa an chéad lá!'

'Agus is mé a bhainfeas daofa é! Tá mé cinnte go bhfaighidh siad páirc eile ar cíos, sin nó caithfidh siad an t-eallach a dhíol. Níl a fhios agam cad chuige a bhfuil siad daofa ar scor ar bith, muna bhfuil siad ábalta amharc ina ndiaidh,' arsa Éamonn.

'Creidim gur ar mhaithe le Hiúdaí atá an t-eallach acu ... bhí sé i gcónaí iontach tugtha do na ba.'

D'éist siad le nuaíocht Raidió na Gaeltachta a fhad is a bhí siad ag ithe an dinnéara. D'éirigh Cití i ndiaidh tamaill agus fuair sí tuilleadh feola agus tuilleadh prátaí d'Éamonn. D'ith sé deireadh go baileach.

'Bhí sin galánta, a mháthair,' a dúirt Éamonn, ag tógáil na bplátaí ón tábla.

'Tháinig achan rud ach amháin an uaineoil as an gharradh fosta,' a d'fhógair Cití go bródúil.

Nuair a bhí Éamonn sa charr agus é réidh le himeacht ar ais go Baile Átha Cliath tháinig Cití amach agus chroith sí an t-uisce coisreactha air.

'Slán abhaile anois, a thaiscidh. Tabhair aire ar an bhóthar.'

'Beidh mé ar ais ag deireadh na seachtaine. Ó, déan cinnte go ndéarfaidh tú le hÚna go bhfuil mé ag smaointiú ar an pháirc a dhíol. Chead aici a ghabháil agus páirc inteacht eile a chuartú,' a dúirt Éamonn fríd fhuinneog an chairr.

Ag pilleadh isteach chun an tí do Chití chonaic sí an buidéal beag d'uisce Thobar an Dúin a thug sí d'Éamonn ní ba luaithe. Thóg sí é agus chuir sí i dtaisce i bprios é. Gheobhadh sé é an chéad uair eile a thiocfadh sé 'na bhaile.

An oíche sin, i ndiaidh an bhiongó, chuaigh Cití agus Úna Mhicí isteach go hÓstán Radharc an Earagail mar a dhéanfadh siad achan oíche Dhomhnaigh. Bhí siad ina suí tamall ag baint suilt as an cheol sula dtug Úna aghaidh chomhrá ar Chití. 'Tá mé buartha gur bhris an t-eallach isteach sa gharradh ar maidin ... díolfaidh mé as damáiste ar bith a rinne siad.'

'Arú, ná bí amaideach!' arsa Cití.

'D'iarr mé ar Hiúdaí an sconsa sin a chóiriú ... ach, tá a fhios agat Hiúdaí. Bhí sé chomh maith agam bheith ag caint le Cloch Mhór Léim an tSionnaigh! Tá an bhó bhreac sin chomh bradach, agus leanann an chuid eile acu í....'

'Ó, thrampáil siad na glasraí agus na luibheanna ... ach déan dearmad de. Níl neart air!' a d'fhreagair Cití agus í ag baint snáthaidh as a deoch. Rinne Úna mar an gcéanna agus thóg sí bocsa toitíní agus lastóir amach as a mála.

'An bhfuil a fhios agat go bhfuil Éamonn s'againne ag smaointiú ar an pháirc sin a dhíol ... tá rún aige árasán a cheannacht i mBaile Átha Cliath.'

Rinneadh stangaire d'Úna. Chuaigh an scéala go smior inti. Bhain sí bolgam beag as a gloine. Nuair a fuair sí a hanáil léi, labhair sí: 'Ach shíl mise gur dhúirt tú liom go raibh Éamonn ag gabháil a thógáil tí sa pháirc sin amach anseo?'

'Bhuel, is cosúil go raibh mé contráilte. Tá seiftiú a chodach ann agus tá sé ag fáil ar aghaidh go maith i mBaile Átha Cliath. Níl a dhath anseo fána choinne,' arsa Cití.

D'amharc Úna iontach dáiríre ar Chití ar feadh bomaite. Chlaon sí a cloigeann anonn níos deise dithe agus labhair sí go híseal: 'Bhuel, tá súil agam nach bhfuil Éamonn ag déanamh dearmaid don cheart bealaigh!'

Cé a tháinig isteach an doras an bomaite sin ach Nuala Shéarlaí Eoghain agus shuigh síos ag an tábla ag taobh Chití. Cé gur bean mhuinteartha di féin í, mheas Cití go raibh sí riamh róthugtha don chúlchaint agus an saol mór le meilt agus le cardáil aici, gan aici ach cogar scéil a fháil.

D'éirigh Úna agus chuaigh sí amach.

Bhí Cití fágtha le Nuala.

'An bhfuil a fhios agat cé atá ar shiúl gan dóigh ar fad, chuala mé...?' a dúirt Nuala, ach níor fhan sí le freagra. 'Nóra Phádraig! Chonaic mé í ag teacht amach as an óstán aréir agus fear inteacht léi ... tá a fhios agat féin!'

Stad Cití a dh'éisteacht. D'amharc sí amach i dtreo an

dorais. Mhothaigh sí go raibh Úna rud beag fríd a chéile …
b'áil léi go dtiocfadh sí isteach arís go gasta.

Nuair a phill Úna sa deireadh bhí Nuala ag cúlchaint ar
dhuine eile de na comharsanaigh. Thug Cití fá dear nach
raibh fonn ar bith ar Úna éisteacht leis an chaint. Rinne sí
iarraidh an comhrá a athrú ach is éard a d'éirigh Úna agus
d'imigh sí 'na bhaile, ag déanamh leithscéil go mbeadh Hiúdaí
ag fanacht léi.

An oíche sin bhí brionglóid ag Cití agus sa bhrionglóid
chonaic sí Feilimí. Bhí sé ina shuí ar chlaí fóid ar thaobh na
páirce ag caitheamh píopa. Bhain sé an píopa as a bhéal agus
labhair sé: 'Abair le hÉamonn go bhfuil gnoithe agamsa leis,'
a dúirt sé. D'éirigh sé ansin agus thug sé aghaidh ar an pháirc.

Chuir an bhrionglóid isteach go mór ar Chití. Caidé a
déarfadh Feilimí dá mbeadh sé beo? Feilimí a raibh a dhá
cheann i dtalamh aige ó dhubh go dubh ag déanamh bogáin
den chreagán sa pháirc chéanna. Feilimí a cailleadh i mbláth
a mhaitheasa, mar gur mharaigh sé é féin ag obair. Smaoin-
tigh sí ar Úna bhocht agus ar a mac. Mhothaigh sí go raibh
gleann ag leathadh idir í féin agus Úna.

Bhí Hiúdaí mar a bheadh duine a bhuailfí le buille d'ord mór
nuair a d'inis Úna dó go gcaithfeadh siad an t-eallach a dhíol.
D'imigh sé leis amach as an teach agus d'fhan sé ar shiúl ar
feadh cúpla uair an chloig. Bhí Úna imníoch fá dtaobh de.

Nuair a phill sé, bhí scíon ina shúile. D'imigh sé leis suas
go dtí a sheomra agus d'fhan ann don chuid eile den lá.

Is é a ghoill go mór ar Úna go raibh Hiúdaí chomh fríd a

chéile. Ní raibh an cluiche thart go fóill agus gheall sí di féin go mbainfeadh sí an cúiteamh as Éamonn Chití Fheilimí Eoin go fóill. Thóg sí an guthán agus chuir sí glaoch ar shiopa Uí Fhrighil agus d'ordaigh sí sreang dheilgneach agus postaí adhmaid.

Lá arna mhárach tháinig an jabóir. Dhíol Úna an t-eallach agus thug an jabóir leis iad. Tamall gairid ina dhiaidh sin tháinig Seán Ó Frighil le leoraí ar a raibh lód de shreang dheilgneach agus de phostaí adhmaid agus chaith sé ar an chabhsa bheag idir Páirc Fheilimí agus an bealach mór iad.

Sheasaigh Úna tamall ag amharc amach ar an pháirc fholamh ó fhuinneog na cisteanadh. Bhí a croí briste i ndiaidh an eallaigh ach ní ligfeadh sí a dhath uirthi féin os coinne Hiúdaí. Ní ligfeadh sí a dhath uirthi féin leis na comharsanaigh ach an oiread. Ba mhór an faoiseamh dithe é go raibh Hiúdaí ag freastal ar an Ionad Cúram Lae an mhaidin sin agus nach bhfaca sé an t-eallach ag imeacht.

Bhí lá breá fómhair ann agus bheartaigh Úna imeacht léi amach as an teach ar feadh tamaill. Shocair sí go rachadh sí a chruinniú sméara dubha agus go ndéanfadh sí subh. Bhí dúil mhór ag Hiúdaí i subh na sméar dubh.

Bhí go leor sméar ar na dreasóga sa chuibhreann bheag a bhí taobh thuas den teach agus thoisigh Úna á gcruinniú ansin. Líon sí leath canna ach níor leor sin, bheadh thuilleadh a dhíobháil uirthi le leathdhuisín potaí a dhéanamh. Chuaigh sí ar aghaidh agus amach ar an tseanbhealach a bhí ag críochantacht leis an chuibhreann. Bhí neart sméar ar na dreasóga a bhí ag fás ar dhá thaobh an bhealaigh.

I ndiaidh tamaill, shuigh Úna síos ar sheanchlaí beag fóid ag déanamh a scríste. Tháinig cíocras uirthi agus thoisigh sí ag ithe cuid de na sméara. D'fhág siad ruaim dhearg ar a cuid méar agus ar a cuid lámh. Bhí sí ag glanadh a cuid lámh le ciarsúr nuair a chuala sí trup i dtom aiteannaí ar a cúl. Nuair a d'amharc sí thart ní fhaca sí a dhath, ach bhí an aiteannach ag luascadh. Sheasaigh sí anairde ar an chlaí agus d'amharc sí thar an aiteannach isteach go páirc Fheilimí a bhí taobh thiar den chlaí.

Bhí an pháirt seo de pháirc Fheilimí gearrtha ar shiúl ón chuid eile ag creag mhór agus b'fhada an lá ó bhí Úna á chomhair. Chonaic sí an carnán beag de chlocha ansin chóir bharr na páirce agus sceach gheal ag fás in aice leis an charn. Deireadh a máthair léi go raibh na clocha céanna uasal agus nár cheart baint daofa. 'Ná bain do gheis agus ní bhainfidh geis duit,' a deireadh sí. Bhí sé crosta ag Úna í féin ar a cuid páistí a ghabháil ina gcomhair. Bhí na clocha ansin le cuimhne na bhfear mire.

Thug Úna fá dear go raibh cuid de na clocha scaipthe thart ar an talamh. Chuaigh sí fríd bhearna bheag isteach 'na páirce le hamharc níos fearr a fháil orthu. D'fhág sí canna na sméar dubh síos ar an talamh agus shiúil sí i dtreo na gcloch.

De phlab, tháinig fiach dubh anuas le ruathar ar charnán na gcloch. Lig sé grág as féin.

Scanraigh sé an t-anam glan as Úna. Thóg sí an canna agus chuaigh de spalpadh reatha fríd an bhearna. Dhóbair gur scaip sí canna na sméar dubh leis an deifre a bhí uirthi. Stróc sí a cuid cosa ar dhreasóga móra a bhí ag fás trasna na bearna. Thit sí i slodán uisce agus nuair a d'éirigh sí bhí a cuid éadaí fliuch báite agus í ar bharra creatha. Tháinig ga seá inti. Bhí sí ag gabháil as a crann cumhachta ag sílstean nach bhfaigheadh sí a fhad leis an bhaile choíche.

Bhí an madadh ag caoineadh taobh amuigh den teach nuair a shroich Úna an baile. B'fhéidir gur uaigneas a bhí air i ndiaidh na mba, a mheas Úna. Bhagair sí ar an mhadadh sula dteachaidh sí isteach chun tí.

An oíche sin tháinig tromluí ar Úna. Sa bhrionglóid chonaic sí beirt ghasúr ag déanamh folacháin i bpáirc Fheilimí. Chuaigh siad i bhfolach áit inteacht chóir bharr na páirce. Chuala sí í féin ag scairtigh chomh hard is bhí ina glór: 'Fanaigí ar shiúl ó na clocha sin ag barr na páirce.' Chlis Úna go tobann as a codladh. Cé gur thuig sí nach raibh ann ach brionglóid níor bhobáil sí súil ina dhiaidh sin go maidin.

Lá arna mhárach, chuaigh Hiúdaí a thógáil sconsa de shreang dheilgneach thart timpeall ar an spleotán beag de thalamh a bhí idir Páirc Fheilimí agus an bealach mór. Tháinig carr mór anuas an bealach mór agus stop sé os comhair na páirce.

Chonaic Hiúdaí an Cigire Beag agus bodach mór eile ag teacht amach as an charr. Shiúil siad síos agus aníos an bealach mór cúpla uair agus iad ag amharc isteach 'na páirce. Nuair a rinne an Cigire Beag iarracht labhairt le Hiúdaí, chuir sé fionnadh oibre air féin agus rinne sé neamhiontas de.

Chuala Hiúdaí an Cigire Beag ag caint ar an fón póca. Chuala sé é ag rá go raibh an cabhsa blocáilte le sconsa de shreang dheilgneach. 'Siúil leat,' a dúirt an Cigire Beag leis an fhear a bhí ina chuideachta nuair a chríochnaigh sé a chomhrá ar an fón: 'Ní bheinn gaibhte ag caint leis an leathdhuine sin istigh!'

Thug an Cigire Beag ruball a shúile thart i dtreo Hiúdaí sular shuigh sé isteach sa charr. D'fhan Hiúdaí san áit a raibh sé go bhfaca sé an carr ag imeacht síos an bealach mór.

'Tóg ort, a shramaide cháidhigh,' a scairt Hiúdaí, agus chaith sé an casúr a bhí ina lámh fad a urchair uaidh síos an cabhsa.

Ag gabháil ó sholas dó tráthnóna Dé hAoine chonaic Úna carr na ngardaí taobh amuigh de theach Chití. Shíl sí go bhfaca sí carr an tsagairt ag tarraingt isteach thuas fosta. Shocair sí gurbh fhearr di a ghabháil suas go bhfeicfeadh sí caidé a bhí ar siúl. Ghearr sí an t-aichearra fríd pháirc Fheilimí. Baineadh tuisle aisti thar phíosa de shreang dheilgneach a bhí ina luí sa pháirc.

Casadh an sagart sa doras uirthi: 'An bhfuil Cití ceart go leor, a Athair? An bhfuil rud inteacht contráilte?'

'Fuair sí drochscéala ... maraíodh a mac, Éamonn ... timp-iste bóthair. Bhí sé ar an bhealach 'na bhaile as Baile Átha Cliath. Is fearr duit a ghabháil isteach chuici; tá drochdhóigh uirthi.'

Nuair a chuaigh Úna isteach bhí Cití ina suí ansin agus í ag caoineadh agus bhí gach aon súiteadh á bhaint aisti. Bhí buidéal beag d'uisce Thobar an Dúin aici ina lámh. Chuaigh Úna anonn agus chuir sí a lámh thart uirthi. Bhris sé a croí ag amharc ar Chití ag gol in áit na maoiseoige.

D'fhan Úna go dtáinig deirfiúr Chití agus ansin shocair sí

go rachadh sí 'na bhaile leis an drochscéala a inse do Hiúdaí. Bhí trua ag Úna do Chití ach thuig sí nach raibh ann ach trua gan tarrtháil.

Bhuail uaigneas Úna agus í ag siúl thar pháirc Fheilimí. Bhí an oíche chomh ciúin agus dá mbogfadh craobh go samhlófá gur ar a conlán féin a rinne sí é. Bhí gealach na gconnlach ag lonrú ar na crainn chaorthainn a bhí ar chiumhais na páirce. Ag siúl thar an chabhsa di mhothaigh Úna go raibh sconsa na sreinge deilgní mar a bheadh dol ann ag fanacht le deis í a ghaistiú. Bhí na postaí adhmaid ina seasamh gan biongadh astu mar a bheadh scáltairí gan fuil gan feoil.

Thuig Úna nach raibh feidhm ar bith leis an sconsa chéanna. Ní raibh a dhath le coinneáil istigh ná amuigh as an pháirc anois. Bhí an t-eallach ar shiúl agus bhí úinéir na páirce ar shlí na fírinne. Ní dhíolfadh Cití an pháirc go deo. D'iarrfadh sí ar Hiúdaí an sconsa a bhaint anuas nuair a bheadh an tórramh thart cé nach mbeadh breith ar a haithreachas aici.

Go tobann, d'éirigh an spéir dorcha mar chuirfeá dallóg uirthi agus chuaigh an ghealach i bhfolach ar chúl na néalta. Tháinig creatha fuachta ar Úna. Chuimhin sí ar na clocha a chonaic sí scaipthe thart ag barr na páirce. Rachadh sí suas ar maidin agus chuirfeadh sí na clocha ar ais sa charnán.

Ag Téarnamh Chun Baile

Nuair a tháinig mé amach 'na gharraidh ar mochóirí ar maidin, bhí gréasáin dhamháin alla crochta ar na toir, a bpéarlaí drúchta ag lonrú mar a bheadh clocha beaga i gCoróin Mhuire a chrochfadh oilithreach ar an chrann coill ag Tobar an Dúin.

Chuala mé éan ag ceiliúradh ar chraobh os mo chionn, ag fáiltiú roimh na maidne, shílfeá. Luisnigh ga gréine ar an chrann fuinseoige agus thoisigh an solas ag síothlú anuas go mall idir a chraobhacha. Chuir sé i gcuimhne domh gur Tarlach a chur an crann sin ... nach iontach mar a mhaireann an chraobh ar an fhál nuair nach maireann an lámh a chur? Chuir ceol an éin aoibhneas ar mo chroí.

Tchítear domh go bhfuil na duilleoga atá fágtha ar na crainn go fóill ag teannadh mar a bheadh siad ag déanamh a ndícheall greim daingean a choinneáil ar an chraobh. Cluinim siosarnach os mo chionn agus samhlaím go bhfuil na duilleoga ag cogarnach eatarthu féin ar eagla go gcluinfeadh gaoth an fhómhair iad is go scuabfadh sí léi iad go deo.

Chuala mé crónán i mo chluasa agus shíl mé go raibh beach ag druidim in aice liom. Thoisigh mé a chroitheadh mo chuid lámh, ag iarraidh an bheach a sheilg uaim, ach loic mo chroí nuair a chonaic mé nach i mo gharradh a bhí mé ar chor ar bith, ach ar mo leaba sa teach altranais. Dhruid mé mo chuid súl arís, ag guí le Dia go mbeinn ar ais i mo gharradh beag nuair a d'fhosclóinn iad. Bhí mé dóchasach mar go raibh an crónán adaí go fóill i mo chluasa, ach nuair a d'fhoscail mé mo shúile arís bhí mé go fóill i mo sheomra sa teach altranais.

Dhírigh m'aird ar ghréasán damháin alla a bhí os cionn na fuinneoige. Chonaic mé go raibh cuileog bheag, a bhí ceaptha sa ghréasán, ag déanamh a seacht ndícheall í féin a scaoileadh saor. Chuir sí an gréasán ar crith lena cuid streachailte. Stad sí go tobann ansin agus ní raibh biongadh aisti ar feadh tamall fada agus mheas mise go raibh a port seinnte. Leis sin, d'éirigh sí le ruathar agus amach as an ghréasán léi agus níor stad sí go raibh sí abhus ar leac na fuinneoige. Bhí na beanna léithe. Rinne sí cineál damhsa beag ansin ar phána na fuinneoige, le tréan lúcháire, shamhlófá.

'Mo sheacht m'anam leat, a chuileog bheag,' arsa mise i m'intinn féin. Dá mbeinn ábalta éirí as mo leaba as mo stuaim féin, d'fhosclóinn an fhuinneog le cead a cinn a thabhairt di….

Tá duine inteacht ag doras mo sheomra.

'Maidin mhaith, a Chaitlín. Tá mé anseo le tú a chur i do shuí. Ar chodlaigh tú go maith?'

'Chodlaigh … ach b'fhearr liomsa muscailt i mo leaba féin … an ligfidh siad mise 'na bhaile gan mhoill?'

'Níl a fhios agam fá sin anois….'

'Níl ann ach go bhfuil rudaí le déanamh agam … beidh mo gharradh ar shiúl ar fiáin.'

'Níl muid ag iarraidh go dtitfeá arís, an bhfuil? Beidh mé ar ais le do bhricfeasta ar ball beag.'

Téimse 'na bhaile go minic i ngan fhios daofa uilig anseo … seo liom fríd an doras. Tá mé ag gabháil thar gach ceann is clúid thíos an staighre. Téim isteach 'na cisteanadh, ansin ar aghaidh go dtí an seomra suite agus ansin téim suas an staighre … achan rud díreach mar a bhí sé. Pillim ar ais síos an staighre agus amach an doras cúil liom.

Anois, tá mé ar mo sháimhín só i mo shuí i mo gharradh beag agus tá na rósanna fiáine faoi bhláth agus tá na héanacha beaga ag ceol. Tá cumhracht na rósanna ag leathadh ar an aer. Tá cumhracht inteacht eile le mothú, cumhracht na mbláth nach bhfeictear, bláth nach bhfuil ann ach cumhracht faoi scáth. Creidim gur sin mar atá mé féin; rós faoi scáth, scéimh faoi cheilt.

'Tá mo chos nimhneach … caidé a tháinig uirthi?'

'Thit tú sa gharradh sula dtáinig tú isteach anseo. Nach cuimhin leat?'

'Ó, is cuimhin liom anois. Bhí mé ag cruinniú na nduilleog agus bhain an ráca tuisle asam agus thit mé. Cá huair a tharla sin?'

'Mí ó shoin … ach tá sé ag cneasú go maith. Ní bheidh sé i bhfad go mbeidh tú ar do sheanléim arís, a Chaitlín. Athróidh mé an bindealán sin arís amárach.'

Chan fhuil baol ar an mhaidin … fan go bhfeicfidh mé … leath i ndiaidh a sé … níl mé cinnte an bhfuil mé san otharlann nó cén áit a bhfuil mé. Tá an seomra cosúil le seomra a bheadh in otharlann. Ballaí loma agus beagán troscán agus an leaba féin, tá sí mar a bheadh leaba a tchífeá san otharlann. Ach, ní mhothaím tinn, buíochas le Dia. Ó, is cuimhin liom anois … tá mé sa teach altranais. Tá mo Choróin Mhuire agus mo dhialann anseo agam faoi mo bhabhstar. Achan lá léim píosa beag amach as mo dhialann agus déanaim mo dhícheall cuimhneamh....

17 Meán Fómhair 2007
Bhí do naoú cuimhneachán báis ann inniu, a Tharlaigh. Naoi mbliana fhada uaigneacha. Bheifeá ag gáire fúm dá mbeadh a fhios agat na rudaí amaideacha a dhéanaim corruair. Tá mé ag éirí chomh dearmadach le tamall anois, i dtólamh ag cailleadh rudaí. Chaill mé mo chuid spéacláidí, chaill mé eochracha, chaill mé mo sparán fiú. Dhóigh mé an taephota arís inniu, rinne mé dearmad go raibh sé ar an sorn agam. Bhí an tóin chóir a bheith dóite amach as.

Tá eagla orm go bhfuil Tarlach Óg ag smaointiú go mbeinn níb fhearr as i dteach altranais. Thug sé ar cuairt go hÁras Cholmcille mé an lá fá dheireadh, ag cuartaíocht ag mo chol ceathar, Nóra Ní Ghrianna, mar dhea. Nóra bhocht; bhí sí ansin, gan í gan ó aisti. Níor aithin sí muid fiú. D'fhiafraigh sí den bhanaltra cá huair a bheadh Paidí ag teacht le hí a thabhairt 'na bhaile. Tá a fhios agat féin! Paidí atá faoi na fóide anois le scór bliain. Bhí an mhuintir a bhí ansin uilig san aois leanbaí; cuid acu ag caint leo féin, cuid acu ag caoineadh, cuid acu ag gáire.

B'fhéidir go raibh tú níos fearr as, go bhfuair tú bás sular éirigh tú aosta, a Tharlaigh. Ní raibh sé i ndán dúinn titim bonn ar bhonn le chéile, is mór an trua.

Ach, an bhfuil a fhios agat an rud a ghoilleann go mór orm? Níl mé ábalta cuimhneamh ar do ghrua inniu, a Tharlaigh.

Cá ndeachaigh an pictiúr sin a bhí agam taobh na leapa? Sin anois tú! Nach tú a bhí dóighiúil maise! Is maith is cuimhin liom an chéad lá ar leag mé súil ort, a chroí. Bhí mé ag faire thíos ansin ar an Bhaile Láir agus tháinig tú isteach. Shuigh tú ar an taobh eile den tseomra uaim.

Ní raibh a fhios agam cé thú féin ach chuala mé bean ag mo thaobh ag inse don bhaintreach gur thú mac Dhonn-chaidh Rua. Casadh orm arís thú mí ina dhiaidh sin. Bhí tú ag obair ar an chaorán, taobh le mo chuid deartháireacha. Chuaigh mise amach leis an tae chucu. Tháinig tú anall a chaint leo a fhad is a bhí mé ann.

Níor casadh orm arís thú go raibh muid in Albain. Bhí tú ag an damhsa sa halla in Cook Street mí i ndiaidh domh a ghabháil go Glaschú. D'iarr tú amach a dhamhsa mé ... válsa a bhí ann, is cuimhin liom. Bhí do dheartháir Séamus ag an damhsa fosta agus chuaigh an ceathrar againn 'na bhaile le chéile. Mise agus tusa, agus do dheartháir agus mo chara Cití.

Bhí mise ag fanacht le m'aintín Nóra sna Gorbals san am agus ní raibh sibhse i bhfad ar shiúl. D'fhág sibh slán linn ar an tsráid. Chuir tú do lámha thart orm agus thug tú póg domh. 'Tchífidh mé oíche Aoine seo chugainn thú, ag an damhsa,' a dúirt tú.

Nach iontach an dóigh a gcuimhním air sin uilig anois agus nach bhfuil cuimhne agam ar caidé a rinne mé inné ná ar maidin inniu ná leathuair ó shoin fiú. Ach, ní bheidh sé i bhfad go mbeidh mé i do chuideachta arís, a Tharlaigh. Téann an saol thart mar a bheadh eiteoga air agus mise ag gabháil in araicis an bháis agus an bás ag teacht i m'araicis gach aon lá. Sílim go rachaidh mé ar ais a chodladh tamall beag eile.

A leithéid de shuaimhneas atá agam, i mo shuí anseo sa gharradh tráthnóna agus an ghrian ag gabháil i bhfarraige. Leathann cumhracht theolaí na mbláth ar fud an gharraidh. Tá féileacáin de gach aon dath ar foluain thart fá dtaobh díom, na dathanna céanna orthu féin agus ar na bláthanna beaga.

Ach, ní mhairfidh na bláthanna ainneoin a n-áilleachta. Imeoidh siad le teacht an gheimhridh ach beidh siad ar ais san earrach....

I bhfad thuas sna glinnte cluinim an fhuiseog ag ceiliúr-adh. Tagann feothan gaoithe agus luascann sé craobhacha na fuinseoige os mo chionn agus bogann sé na duilleoga móra ar an chrann ag cur ga gréine a dhéanamh folachán liom.

Scuabann an ghaoth a bhfuil fágtha de dhuilleoga ar na craobhacha. Tá éan dubh nach bhfaca mé sa gharradh ariamh roimhe ina thost ar chraobh ard.... Tá mo shúile ag druid orm, tá mé tuirseach....

Bhuaigh an gearrscéal 'Ag Téarnamh Chun Baile' Duais Fhoras na Gaeilge ag Féile Lios Tuathail i 2010 agus foilsíodh é i bhfoilseachán na bliana sin den *Winners' Anthology*.

Máirín Uí Fhearraigh

Tógadh Máirín Jimí ar Ard na mBáinseog ar Oileán Ghabhla, leathmhíle amach ó chósta Dhún na nGall. Gan í ach ina cailín óg, bhí ar an teaghlach Gabhla a fhágáil agus bogadh go tír mór nuair a druideadh an t-aon scoil náisiúnta a bhí ar an oileán i 1967. Bhain siad fúthu ar an Choiteann i nGaoth Dobhair. Is mór an tsuim atá ag Máirín i gcúrsaí teanga, cultúir agus forbartha pobail agus tá suim faoi leith aici i gcúrsaí ginealais. Tá leabhar staire agus seanchais scríofa ag Máirín faoi Ghabhla dar teideal *Gabhla – An tOileán*, foilsithe ag Coiscéim i 2008. Bíonn Máirín ag scríobh filíochta chomh maith agus tá roinnt dá cuid dánta foilsithe in *Comhar* agus in *North West Words*. Tá suim ag Máirín in ealaín agus tá roinnt taispeántas tugtha aici dá cuid péintéireachta. Tá sí mar bhall de choistí pobail áitiúla agus contaetha mar aon le bheith ina comhalta de chuideachta Ghael Linn. Tá sí pósta ar Declan agus tá triúr clainne acu: Aisling, Éimear agus Colleen.

Trasna na dTonnta

Bhí Seán Mór ag baint phrátaí sa chuibhreann bheag ghainmheach ag barr na binne nuair a chuaigh bád Mhicí Shéarlais soir an barra ag tarraingt ar bhéal Oileán Bó. Nuair a chonaic sé an bád ag gabháil thart leis an ghob, dhírigh sé a dhroim agus thóg sé a bhearád leis an allas a ghlanadh óna éadan.

Bhí an bád go domhain san uisce. Bhí lasta trom uirthi: tábla, cathaoireacha, leapacha agus cúpla bosca mór donn i mullach a chéile thiar chun deiridh. Ní bheadh fágtha tigh Mhicí anois ach na ceithre ballaí.

Ba mhaith an rud daofasan go raibh an lá maith. Bhí leoithne bheag ghaoithe ag séideadh trasna an bharra, é ag iompar fuaim tholl inneall an bháid agus an cúpla tafann a rinne Tildy, madadh an teaghlaigh, le rón beag ramhar a chuir aníos a cheann os cionn an uisce agus an bád ag gabháil thart le Gob na Dumhcha.

D'aithin sé go raibh cúpla duine ina suí ar an bhéim dheiridh agus bhí cloigne na bpáistí le feiceáil istigh i measc an trealaimh uilig agus gan gíog astu.

Sheasaigh sé tamall ag amharc ina ndiaidh agus ansin

chrom sé ar an obair arís. Teaghlach eile ar shiúl agus na páistí deireanacha leo.

Bhí sé fá choinne a ghabháil anonn tigh Mhicí ar maidin le cuidiú leo an trealamh uilig a thabhairt síos go dtí an ché, cé nár sheasaigh sé ar an tairseach i dtigh Mhicí le deich mbliana. Ach, cha dteachaidh sé anonn. Ach, nach cuma; caidé an mhaith dó a ghabháil anonn anois le cuidiú leo fágáil? Bhí sé rómhall.

D'amharc Seán ar Mhícheál Óg mar an mac nach raibh aige féin. Ní raibh an gasúr ach dhá bhliain déag d'aois ach bhí sé ábalta obair fir a dhéanamh. Thoisigh Seán ag smaointiú ar an am a d'fhoghlaim sé dó an dóigh le hiomramh agus an dóigh le curach a láimhseáil. Nuair a bhí sé leis amach ag iascaireacht bradán cúpla oíche an samhradh seo caite, chonaic sé go raibh mianach an iascaire ann. Bhí sé breá ábalta ag tógáil na n-eangach agus ba é an chéad duine a thug fá dear go raibh bád Phaidí Mhóir curtha orthu an mhaidin gharbh adaí agus iad ag tógáil eangacha folmha. Ní rómhinic a thóg Seán Mór eangacha folmha.

Bhí na cailíní millte ag Hanna. Bhí sí i ndiaidh dhá gheansaí dheasa a chleiteáil daofa le tabhairt leo go tír mór agus chonaic Seán í ag sleamhnú cúpla nóta isteach i ndorn Mhícheáil tráthnóna inné, i ndiaidh é canna uisce a thabhairt aníos as an tobar di. Bhí gnás ag na páistí teacht isteach acu achan lá ar a mbealach 'na bhaile ón scoil agus thabharfadh Hanna cupán deas tae agus píosa dá bonnóg triacla daofa.

Bhí lámh mhaith ag Hanna ar dhéanamh aráin agus bhí croí na bpáistí istigh sa bhonnóg triacla. Choinneodh na

cailíní comhrá le Hanna ansin ar feadh tamaill agus dhéan-
fadh Mícheál Óg rud beag timireachta fán teach.

Cha dteachaidh sise anonn tigh Mhicí le slán a fhágáil acu
ach an oiread.

Thoisigh Seán ag smaointiú ar an tsaol a bhí acu ar an
oileán. Dar leis nach mbeadh a shárú le fáil áit ar bith eile.
Bhí Seán é féin ag déanamh saothrú maith ar an talamh agus
ar an fharraige i rith a shaoil agus Hanna í féin a bhí ag
reáchtáil Oifig an Phoist. Ach, ní mhaireann achan rud ach
seal.

Bhí clú agus cáil ar Sheán mar iascaire agus is iomaí séasúr
maith bradán agus scadán curtha isteach aige. Ní raibh anás
ar bith orthu.

Ní raibh caill air ag an rámhaíochta ach oiread. Bhí
foireann láidir ar an oileán acu i gcónaí agus is iomaí bonn
agus corn a bhain an fhoireann chéanna.

Suas go bliain ó shoin, ba é an dúil ab fhaide siar ina
choigeal é an t-oileán a fhágáil, ach anois agus teaghlach eile
ag imeacht suas an cainéal, tháinig an smaointiú fríd a
cheann.

Ní raibh sé ábalta a iúl a choinneáil ar an obair, bhí achan
chineál smaointithe ag gabháil fríd a intinn. Shiúil sé anonn
go dtí an claí íseal, áit a raibh a chóta caite síos, thóg sé amach
toitín as a phóca ascaille, las suas, chaith an cóta gabairdín
glas ar an chlaí agus shuigh ina mhullach.

Bhain sé smailc as an toitín agus thoisigh sé ag amharc
thart ar an oileán inar rugadh agus inar tógadh é.

Siar uaidh bhí páirceanna fada glasa agus iad roinnte ag

claitheacha. Prátaí ba mhó a bhí curtha sna páirceanna ar an taobh seo den oileán mar gheall ar an talamh deas gain-mheach a bhí ann. Agus bhí sin ann, prátaí ar dóigh; ábhar dinnéara ar achan ghas acu, iad chomh geal le plúr agus iad uilig ag gáire leat nuair a thógfá as an phota iad.

Rith na páirceanna siar go dtí na tithe a bhí ina ribín ag rith leis an bhealach mhór ó ché go cé. Bhí na tithe ag fáil foscaidh ó na cnoic ar an taobh thiar den oileán. Bhí an foscadh de dhíth mar bhí an ghaoth a thagadh isteach ón aibhléis mhór fealltach go minic agus is iomaí stoirm gharbh a chonaic Seán agus leoga, is iomaí oíche gharbh dhoineanta a chaith sé ar bharr na dtonn fosta agus é ag saothrú a choda.

Anonn uaidh a bhí an scoil. Dhá sheomra ranga a bhí ann agus bhí cuimhne ag Seán ar an am a raibh 80 scoláire ag freastail uirthi. Níor chaith sé féin mórán ama ar an scoil chéanna mar go raibh sé ar cheann an teaghlaigh agus cuir-eadh amach ag iascaireacht é chomh luath agus a tháinig ann dó, ach, bhí sé ann fada go leor le léamh agus scríobh a fhoghlaim.

Ba bhreá na tithe a bhí ar an oileán, dar le Séan, sclátaí dubha gorma orthu agus iad uilig maisithe go maith. Bhainfeadh siad an tsúil asat anois agus an ghrian ag lonrú orthu; bhí siad chomh geal sin.

'Nach mór an peacadh tithe mar sin a dhruid suas!' arsa Seán leis féin.

Faoi achan teach, bhí garradh glasraí, áit a raibh fás ar thogha agus rogha glasraí leis an líon tí agus na hainmhithe a chothú. Bhí cúpla bó bhainne i ngach bóitheach chomh maith le hasal, agus bhí doisín nó dhó de chearca á dtógáil ag gach bean tí.

Bhuail pian idir an dá shlinneán é. B'éigean dó seasamh suas agus a dhroim a dhíriú. Den chéad uair ariamh, tháinig an smaointiú fríd a cheann go raibh an aois ag teacht air.

'A Dhia, cá háit a dteachaidh na blianta,' arsa Seán leis féin.

Chonaic sé Éamonn Shéamais ag tarraingt air aniar an cuibhreann. Fear beag dingte déanfasach a bhí in Éamonn. Bhí sé cliste agus maith i gceann pinn. Ba ag Éamonn a rachadh muintir an bhaile dá mbeadh siad ag iarraidh comhairle nó dá mbeadh litir le scríobh.

'An bhfuil ábhar dinnéara bainte agat?' arsa Éamonn.

'Ba chóir go mbeadh! Níl sé doiligh ábhar dinnéara a bhaint anseo, buíochas le Dia!'

'Maram go bhfaca tú clann Mhicí ag imeacht? Caitheann Mícheál Óg cuid mhór ama fá theach s'agaibhse,' arsa Éamonn.

'Á, tá na páistí millte ag Hanna. Shíl mise go ndéanfainn fear farraige de Mhícheál Óg nó tá an mianach sin go smior ann.'

'Ní bheidh mórán iomrá aige ar an fharraige as seo amach, bainfidh tír mór sin as!'

'Tá an t-oileán ag éirí suaimhneach,' arsa Seán.

'Tá,' arsa Éamonn 'agus is maith mar a bheas sé fá cheann cúpla mí eile má choinníonn rudaí ag gabháil mar seo. Cha mbíonn ábhar meithle féin fágtha againn.'

Chuir sé a dhá lámh ina phócaí agus shiúil leis soir an cuibhreann ag tarraingt ar Ruball na Binne.

Sheasaigh Seán ag amharc ar Éamonn ag coisíocht leis go bacach soir an cuibhreann.

Chrom sé ar ais ar a chuid oibre. Bhain Seán preab eile. Ba aige a bhí an dúil i mboladh na créafóige agus é ag tarraingt na bprátaí amach as an ghaineamh éadrom dhubh. Tharraing sé cúpla barr tirim lena chrág agus chaith anonn cois an chlaí iad. Chroith sé an gas agus chaith na prátaí isteach sa bhucáid.

Nuair a bhí an bucáid lán, thóg sé í, chuir sé an spád ar a ghualainn agus thug a aghaidh ar an bhaile.

Le croí trom, shiúil sé soir an cuibhreann ag tarraingt ar chosán na scoláirí. Shiúil sé leis go fadálach agus é ag meabhrú leis féin. Bhí sé ag amharc soir uaidh ar Inis Meáin agus ar Inis Oirthir. Bhí an bháighe uilig faoina shúil ach ní fhaca Seán an radharc galánta a bhí roimhe; bhí a intinn tógtha lena chuid smaointe féin.

Mhothaigh sé iontach míshuaimhneach ann féin agus ní raibh Seán tugtha don mhíshuaimhneas. Bhí sé i gcónaí dearfach ina dhearcadh ar an tsaol agus cha raibh a dhath ariamh trom ná te aige.

Caidé a déarfadh Hanna nuair a labharfadh sé faoin oileán a fhágáil? Caidé an dóigh an dtarraingeodh sé air an t-ábhar fiú? Ar smaointigh Hanna í féin air ariamh? Bhí cuimhne aige í ag rá am amháin go gcrothnaíonn sí na siopaí agus gur mhaith léi bheith ábalta a ghabháil go Teach an Phobail achan Domhnach.

Tháinig meangadh gáire ar a aghaidh; cha raibh Hanna faiteach agus ní bheadh sí i bhfad ag inse dó caidé a shíl sí.

An Cleamhnas

Sheasaigh Tarlach Mór tamall ag amharc síos i dtreo an chladaigh sula dteachaidh sé isteach chun tí. Bhí an fharraige ina clár agus b'fhurast an curach beag a fheiceáil ag déanamh a bhealaigh go réidh anall ag Creig na Béicí.

'Níl a fhios agam cén curach é sin ag teacht anall an báighe,' arsa Tarlach le Méabha nuair a chuaigh sé isteach chun an tí. 'Ní aithním é!'

D'fhág Méabha uaithi an stoca a bhí sí á chleiteáil agus shiúil go dtí an fhuinneog: 'Maise, ní aithnímse ach oiread é. Tá beirt inti.'

Thóg Máire Bhán a iúl dá cuid oibre ag an tábla, áit a raibh sí ag giollacht bídh. Thug sí sracfhéachaint amach an fhuinneog go neamhshuimiúil agus chuaigh ar ais i mbun a cuid oibre. Ba í Máire Bhán ba shine den chúigear níon a bhí ag Tarlach Mór agus Méabha Mhícheáil agus bhí sí seacht mbliana déag thart. Ba bhreá an cailín í. Bhí sí cúig troithe agus seacht n-orlaí ina cuid stocaí; í chomh díreach le feagh, súile gorma aici agus gruaig fhionn ag glioscarnach síos a droim.

'Tá súil agam go bhfuil rud maith inteacht sa phota sin agat!' arsa Tarlach le Máire Bhán. 'Tá mé ar slabhradh leis an ocras.'

'Tá, maise! Deargóg bhreá a thug Paidí Eoghain domh thoir ag an ché ar maidin, a athair,' arsa Máire. 'Suigh síos ansin anois.' Tharraing sí amach cathaoir dó ag ceann an tábla.

'Tá mo dhroim síos liom i ndiaidh an bhachta sin thoir a lomadh,' arsa Tarlach.

Chaith sé é féin síos go trom ar an chathaoir. 'Ach go bé go dtug mac Mhicí Dhonnchaidh lámh chuidithe domh! Tá lámh mhaith aige ar an spáid, fá choinne cuilceach beag cosúil leis!'

Chuir Máire léab den deargóg úr agus babhal prátaí amach do Tharlach.

'Agus, cá bhfuil na girseacha seo uilig?' arsa seisean.

'Bhuel, tá Bríd ar shiúl síos go páirc Mhícheáil fá choinne an eallaigh. Tá Síle thiar tigh Sheáin agus tá Hanna agus Méabha Óg thuas ansin sa tseomra ag déanamh a gcuid obair baile,' arsa Máire Bhán. 'Déanfaidh mise bolgam tae daofa amach anseo nuair a bheas an bhonnóg aráin rísíní sin ar an tine réidh.'

Bhí a chuid ite ag Tarlach agus é ag éirí amach ón tábla nuair a bualadh cnag ar an doras.

Thug Méabha amharc anonn ar Tharlach.

'Faoi Dhia, cé sin?' arsa sise agus í ag cur na ndealgán ar leataobh.

D'éirigh Tarlach agus shiúil sé go fadálach anonn go dtí an doras. Nuair a d'fhoscail sé an doras bhí beirt fhear ina seasamh roimhe.

Chuir Tarlach fáilte rompu ach sheasaigh sé amach agus tharraing sé an doras ina dhiaidh.

Chuaigh Méabha go dtí an fhuinneog agus thóg sí coirnéal an chuirtín ach ní raibh sí ábalta ach cúl duine de na fir a fheiceáil. Chuaigh sí ar ais go dtí an tine.

Ní raibh i bhfad go dtáinig Tarlach isteach arís agus an bheirt fhear leis. Chuir sé in aithne do Mhéabha iad: 'Tá aithne agat ar Jimí Óg anseo, mac Éamoinn Dhiarmada agus seo comharsanach dó, Eoghan Beag, mac le … cá ainm seo a dúirt tú?'

'Mac Dhonnchaidh Thaidhg as Cnoc Dóite.'

Bhí Máire gnoitheach ag glanadh an tábla agus ag cur ar shiúl na soithí. D'amharc sí thart ar na fir. Jimí Óg as Taobh an Chnoic; chonaic sí roimhe é, muinteartha dá hathair ar dhóigh inteacht. D'amharc sí ar an fhear eile. Fear beag dingte, dorcha agus cuma dhéanfasach air; é fá pholl cnaipe den leathchéad bliain agus an ghruaig ag tanú siar air, dar léi.

'Faigh amach cúpla gloine,' arsa Tarlach.

Thóg Méabha trí ghloine, a raibh seamróga glasa ar gach ceann acu, anuas ón dreisiúr agus d'fhág síos go cúramach ar an tábla iad.

Thóg Jimí Óg buidéal cúig naigín amach as faoina chóta, bhain an clár de agus dhoirt miosúr uisce beatha amach sna trí ghloine.

Bhí Máire Bhán ag ní na soithí sa scála stáin ag bun an tí agus gan í ag cur mórán suime sna gnoithí ar chor ar bith.

'Gabh aníos anseo bomaite beag,' arsa Tarlach léi.

Thriomaigh sí a cuid lámh ar thuáille a bhí crochta ar chúl an dorais agus chuaigh sí go faiteach go dtí an tábla.

Chuir a hathair in aithne don bheirt fhear í. D'éirigh Eoghan Beag agus chroith sé lámh léi.

'Nach garbh an craiceann atá ar na lámha aige,' arsa Máire léi féin, ag tarraingt ar shiúl a lámh go gasta.

'Gabh suas chun tseomra agus cuidigh le do chuid deirfiúracha a gcuid obair baile a dhéanamh anois,' arsa a hathair léi.

Ag siúl suas chun an tseomra di, thug a máthair a bhí ina suí sa choirnéal amharc mhisnigh uirthi a rinne míshuaimhneach í.

Thug sí iarraidh cuidiú lena cuid deirfiúracha leis an obair baile ach ní raibh a hiúl air. Thóg sí giota de stoca a bhí ar dhá dhealgán agus rinne iarraidh ró nó dhó a chleiteáil ach lig sí do chúpla lúb titim agus chaith sí uaithe na dealgáin fosta.

Chuaigh leathuair fhada thart sular scairteadh anuas ar Mháire Bhán as an tseomra. Bhí na fir ar shiúl. D'iarr a hathair uirthi suí síos agus d'inis sé di go raibh cleamhnas déanta aige di le hEoghan Beag agus go mbeadh siad ar ais ar maidin fána coinne.

Chuaigh Máire a luí luath an oíche sin, ach má bhí sí sínte ar a leaba féin níor thit néal uirthi i rith na hoíche. Bhí a cloigeann ag gabháil thart agus bhí a croí ag briseadh.

Bhí sí ag smaointiú ar a hathair. Fear caol ard le gruaig chatach dhonn agus rian na gréine ar a chraiceann. Fear den tseandéanamh. Fear ionraice. Fear cineálta agus fear a sheasaigh lena fhocal i gcónaí. Cén dóigh a dtiocfadh leis a leithéid de rud a dhéanamh uirthi? Shíl sí nach raibh anás ar bith orthu. Bhí siad ina gcónaí i dteach beag seascair ar bhruach na farraige. Bhí seisean ag baint saothrú maith as an iascaireacht agus bhí feirm bhreá deich n-acra talún acu a bhí oibriste go maith ag an teaghlach. Cad chuige a raibh sé ag iarraidh réitigh a fháil dithese? Bhuel, ní raibh sise ag gabháil a phósadh Eoghan Beag ná Eoghan ar bith eile agus sin sin!

Smaointigh sí ar Phádraig Shéamais, stócach a raibh suim aici ann. Bhí Pádraig thar na sé troithe, súile móra gorma aige agus a ghruaig chomh dubh le sciathán an fhiaigh dhuibh. Tháinig náire uirthi nuair a smaointigh sí ar an teas a tháinig ina craiceann an tráthnóna a fuair sé greim láimhe uirthi nuair a bhí eagla uirthi roimhe an toirneach agus iad amuigh ag buachailleacht.

Bhí pian ina croí.

Thart fán seacht ar maidin a d'éirigh sí. Ní bheadh sé i bhfad go mbeadh sé ag éirí geal. Chuir sí cúpla balcais éadaigh i mála, scríobh sí nóta gairid fá dheifre, phóg sí a cuid deirfiúracha agus chuaigh sí amach ar fhuinneog an tseomra go suaimhneach. Bhí sí ábalta boladh Mheiriceá a fháil as na cuirtíní órga a chur a haintín Sábha anall as Nua-Eabhrach agus í ag druid na fuinneoige ina diaidh.

Bhain sí an chéidh amach. Chonaic sí curach beag Phaidí Eoghain ceangailte ag an chéidh. Chaith sí a mála isteach chun deiridh, scaoil na rópaí, chuir na rámhaí ar na pionnaí agus d'imigh léi anonn an báighe. Bhí sí cleachtaithe le curach Phaidí Eoghain mar gur iomaí lá iascaireachta a rinne sí féin agus Paidí. Bhí bogadh beag san fharraige ach bhí cóir bheag gaoithe anoir agus ní raibh sé i bhfad gur bhain sí tír mór amach. Tharraing sí suas an curach ar an ghaineamh thirim bhán. 'Beidh an curach sábháilte ansin,' a dúirt Máire léithe féin agus í ag tógáil an mhála bhig dhoinn, ina raibh a cuid balcaisí, amach as faoin bhéim dheiridh.

Sheasaigh sí bomaite ag barr an mhéile. D'amharc sí trasna na dtonnta ar a baile. Rinne sí a coisreacadh, chaith an mála donn ar a droim agus le croí trom thug a haghaidh ar an bhóthar fhada amach roimpi.

D'éirigh Tarlach agus Méabha i dtrátha a hocht. Chuaigh Méabha suas chun an tseomra leis na girseacha a mhuscladh. Chuala Tarlach an bhéic agus é ag cur air a chuid bróg. Rith sé suas chun an tseomra.

'Tá sí ar shiúl … tá sí ar shiúl!' a choinnigh Méabha ag rá agus í ag caoineadh agus ag amharc ar phíosa páipéir a bhí aici ina lámh.

Shín Méabha chuige an nóta.

Léigh Tarlach na cúpla focal a bhí scríofa ag Máire Bhán:

Gidh go mbriseann sé an croí istigh ionam, ní thiocfadh liom seo a dhéanamh. Tá mé buartha.

   Máire

Shiúil Tarlach anonn go dtí fuinneog an tseomra. Sheasaigh sé ansin ag amharc amach thar an bháighe.

'Ní bhéarfar anois uirthi,' arsa seisean agus crith ina ghlór.

D'amharc Tarlach anonn 'na choirnéil, áit a raibh beirt dá chuid iníonacha ina luí: 'Éirigh, a Bhríd, agus teann ort. Caithfidh tusa áit do dheirféar a ghlacadh anois, a thaiscidh. Tá an cleamhnas déanta agus tá m'fhocal tugtha agamsa. Níor bhris mise m'fhocal ariamh agus níl mé ag gabháil a thoiseacht anois!'

Deora Saillte

Trup rothaí an chairr ar an tsráid amuigh a mhuscail mé an mhaidin sin. Ní raibh mórán fonn ormsa éirí. Níor chodlaigh mé néal i rith na hoíche agus b'fhada mé ag urnaí nach dtiocfadh an lá seo go deo, ach caithfidh sé nár chuala Dia mé.

D'éirigh mé fá dheifre agus theann orm mo chuid éadaí. Ní raibh mé amuigh as an leaba mar is ceart go raibh beirt de na comharsanaigh ar shiúl amach an doras agus mo leaba leo.

Chuaigh mé suas 'na cisteanadh. Bhí an teach lán daoine agus iad uilig gnoitheach. Thug mo mháthair cupa tae agus píosa aráin bháin domh a raibh léab bhreá den mheascán úr buí air a thóg sí ón mhaistriú a rinne muid an lá roimh ré.

Nuair a bhí an bricfeasta ite agam, d'iarr sí orm a ghabháil amach agus aire a thabhairt do na hainmhithe. Ní raibh sin doiligh a dhéanamh nó bhí Johnaí Tom, an búistéir as Machaire Chlochair, i ndiaidh an bhó bhuí, an bhó bhreac agus an bearach a thabhairt leis an lá roimh ré agus ní raibh fágtha anois ach an t-asal, cúpla cearc, dhá lachan agus bardal.

Ní raibh a fhios agam féin caidé a bhí ag tarlú thart orm mar nár inis aon duine a dhath domh ach go mbeinn ag gabháil go scoil úr ar an Luan amuigh ar tír mór. Druideadh scoil s'againne cúpla lá roimhe sin agus chuala mé na mná ag rá gurbh éigean don mháistreás an t-oileán a fhágáil agus pilleadh ar thír mór le post úr a fháil.

Bhí an t-éadach uilig pacáilte ag mo mháthair le cúpla lá agus cuireadh an trunca mór donn sa charr i gcuideachta na cathaoireach móire ina suíodh mo mháthair mhór i gcónaí cois tine.

Bhí an t-asal agus an carr aníos agus síos go Port an Chruinn i rith na maidne go dtí nach raibh áit suí ná luí sa teach.

Chruinnigh na comharsanaigh isteach ansin agus thoisigh an caoineadh. Bhí mise ag caoineadh fosta ach ní raibh a fhios agam cad chuige.

Chuaigh mo mháthair suas go hArd na mBáinseog agus shuigh sí ar an Chloch — cloch mhór liath ar thaobh Ard na mBáinseog a raibh radharc ar an oileán uilig uaithi. Bhí sí ansin tamall fada ach níor ligeadh domhsa a ghabháil suas chuici.

Tháinig sí anuas ansin sa deireadh agus chuaigh isteach chun tí agus dúirt: 'Seo, bhuel! Rachaidh muid chun bealaigh, le cuidiú Dé!' agus shiúil sí amach an doras agus níor amharc sí ar ais ní ba mhó.

Shiúil mná an bhaile síos go dtí an ché linn, áit a raibh 'Nancy', bád an teaghlaigh, ag fanacht le muid a thabhairt amach go tír mór. Bhí an bád lán agus cuireadh mise i mo shuí ar an trunca mhór dhonn a bhí thiar chun deiridh. Shuigh mé ansin ag ithe crág na smear dubh a phioc mé ar thaobh an bhealaigh agus muid ag siúl síos go dtí an ché.

Chaith duine de na mná an t-uisce coisreactha orainn agus sheasaigh siad ar an ché ag amharc inar ndiaidh.

Char labhair aon duine focal anonn an báighe.

Thug mé féin iarraidh ceist a chur ar mo mháthair cá raibh mo mhála scoile ach d'iarr m'uncail orm coinneáil suaimhneach agus ligint di. Níor thug sí freagra ar bith orm.

Bhí leoithne bheag ghaoithe ag séideadh aneas agus bhí an fharraige rud beag clabach, ach bhí lá breá ann le cur 'na farraige.

Bhí m'uncail, Neidí Jimí Mac Suibhne, ar an inneall, ár gcomharsanach, Hughie Hiúdaí Shíle Ó Rabhartaigh, ar an stiúir agus ba é Johnaí Mhicí Ruaidh Ó Domhnaill a scaoil na rópaí an lá a d'fhág muidinne Gabhla, an baile inar rugadh agus tógadh muid, agus thug muid ár n-aghaidh ar shaol úr amuigh ar thír mór.

Ó Ghlúin go Glúin

'An dtig le aon duine agaibh a dhath a inse domh faoi na daoine cáiliúla a rinne éacht ar son na tíre thuas sa phríomh-chathair i 1916?' arsa an mháistreás ó bharr an ranga. Ach níor chuala Eibhlín í i gceart nó bhí sise ag amharc amach an fhuinneog ag fanacht leis an trí a chlog a theacht go bhfaigh-eadh sí amach faoin aer. Bhí súil aici nach gcuirfeadh an mháistreás ceist uirthise faoi na daoine cáiliúla seo, mar nach raibh eolas ar bith aici orthu.

Lean an mháistreás ag caint léi orthu siúd a throid ar son na saoirse: 'Pádraig Mac Piarais, a fuair bás ar son na hÉireann, agus Mícheál Ó Coileáin, a scaoileadh ag Béal na Bláth; ní dhéanfar dearmad orthu go brách.'

'Nár dheas a bheith cáiliúil,' arsa Eibhlín léi féin, ag tabhairt amharc eile suas ar an chlog mhór dhonn os cionn na tine; shíl sí nach raibh an lann mhór adaí ag bogadh ar chor ar bith.

Bhí sí ar bís le fáil amach faoin aer le hiontais an earraigh a fheiceáil, agus ní nach raibh dúil aici ar an scoil ach bhí a fhios aici fán am seo bliana go mbeadh cúpla gamhain óg ag teacht ar an tsaol, go mbeadh éilín faoi chearc nó dhó i gcró na gcearc agus go raibh iontais úra le feiceáil achan lá. Ba mhór an trua dá mbeadh uirthi a ghabháil díreach 'na bhaile agus cuidiú lena máthair leis an timireacht fán teach.

Bhuail an clog trí bhuille sa deireadh agus bhí Eibhlín ar an chéad duine amach doras na scoile. Ar an bhealach 'na bhaile, shuigh sí ar an chlaí taobh amuigh de theach Thomáis Mhóir agus d'amharc sí anonn trasna na farraige ar na cnoic ghlasa amuigh ar tír mór. 'Maram go gcaithfinn a ghabháil amach go tír mór le héirí cáiliúil!' arsa Eibhlín léi féin. Chaith sí a mála scoile ar a droim agus thug sí iarraidh ar an bhaile.

Ar a bealach suas an cabhsa, chonaic sí gamhain beag óg ag siúl go stamrógach óna máthair istigh i bpáirc Sheoirse. Bhí na cosa deiridh ag lúbadh faoi. Sheasaigh Eibhlín tamall ag amharc ar an ghamhain.

'Níl a fhios agam an bhfuil iontais mar sin le feiceáil ar tír mór?'

Bhuail an boladh galánta sa doras í. Bhí sí ar slabhradh leis an ocras ach bheadh uirthi fanacht go mbeadh an bhonnóg a bhí thíos ag a máthair déanta.

D'iarr a máthair uirthi na haibhleoga a choinneáil deargaithe ar chlár an oighinn dhuibh trí chosach a bhí crochta os cionn na tine, agus nuair a bhí an bhonnóg réidh b'éigean di é a chur amach ar fuarú.

A fhad is a bhí an bhonnóg amuigh ar an fhuinneog, shuigh Eibhlín síos ar an stól bheag ag taobh a máthar. Bhí a máthair ag streachailt le cuta snátha, ag iarraidh é a thochardadh ar a glúin, agus thóg Eibhlín an cuta ar a dhá lámh féin le cuidiú léi.

'A mháthair,' arsa Eibhlín, ag amharc suas. 'An dtearn duine ar bith as an oileán seo a dhath cáiliúil ariamh?'

'Cá tuige seo, a thaiscidh?'

'Ó, tuige ar bith! Bhí mé ag smaointiú ar rudaí a raibh an mháistreás ag caint orthu inniu.'

'Bhuel, níl fiachadh ort a ghabháil i bhfad le daoine a fháil a rinne éacht cáiliúil, a chroí. Nár chuala tú iomrá fán bheirt chomharsanach dár gcuid a rinne éacht fada ó shoin ar dhroim na farraige móire?'

'Chuala mé sibh ag caint orthu ach níl a fhois agam an scéal,' arsa Eibhlín.

'Bhuel, beidh cuimhne agat ar Phaidí Dhónaill Phaidí Mac Fhionnlaoich; ba ghnách leis teacht aníos anseo ag airneál ag d'athair mór corruair, agus Séarlaí Ó Dúgáin a bhí ina chónaí thoir ansin chóir na céibhe. Ba iad sin an bheirt fhear a bhí i gceist.

'Iascaire ar dóigh a bhí i bPaidí Dhónaill agus seoltóir maith fosta. Ba ghnách leis a ghabháil suas go hArd Ghlais i gContae an Dúin ag iascaireacht corruair. Casadh an fear seo air, a dtugtaí Francis Joseph Biggar air, ar cheann de na turais. B'as Béal Feirste do Biggar agus Éireannach maith a bhí ann. Chuir sé ceist ar Phaidí an mbeadh suim aige a ghabháil leis 'na Gearmáine ar thuras an samhradh sin. Maram go dtug sé fá dear an mianach seoltóireachta a bhí ann.

'Dúirt Paidí go rachadh sé leis cinnte. Ach bhí fear maith eile a dhíth don fhoireann agus chuir Biggar ceist ar Phaidí an raibh a fhios aige fear ar bith eile a bhí eolach ar an fharraige. Smaointigh Paidí ar a chara, an Dúgánach, agus nuair a tháinig sé 'na bhaile chuir sé ceist air an dtiocfadh sé leo ar an turas go dtí an mhór-roinn.'

Bhí cuthóg éadrom déanta ag an mháthair den tsnáth. Thug sí d'Eibhlín é. 'Sín anall cuta eile ansin anois, a thaiscidh, go ndéanfaidh muid é a thochardadh ó tharla in áit na garaíochta tú!'

D'fhág Eibhlín an chuthóg i mbascáid na cleiteála faoin fhuinneog agus thóg sí cuta eile ó chúl na cathaoireach.

'Agus an dteachaidh an Dúgánach leo sa deireadh?' arsa Eibhlín, ag tógáil an chuta úir ar a dhá lámh.

'Rinne siad uilig a mbealach go Conwy sa Bhreatain Bheag agus ag tús an tsamhraidh chuaigh siad ar bord báid ar a dtug siad an tAsgard. Chuala tú iomrá ar Erskine Childers…? Bhí seisean agus a bhean, Molly, i gcuideachta cuid fear Ghabhla ar an Asgard.

'Is iomaí uair a chuala mé Paidí ag caint ar an turas ghalánta a bhí anonn go dtí an Bheilg acu. Bhí an fharraige deas ciúin agus bhí an ghaoth leo i rith an bhealaigh. I ndiaidh ceithre lá ar an fharraige, bhuail siad le bád eile, an Kelpie, agus thug sise tionlacan daofa soir go cósta na Beilge áit a raibh sé socraithe acu lód mór gunnaí agus armlóin a thógáil ar bord.'

'Agus cá háit a raibh siad ag gabháil a fháil na gunnaí uilig?' arsa Eibhlín.

'Bhí fear curtha anonn acu roimh ré leis na gunnaí a cheannacht agus bhí siad ag fanacht leo ansin le bád mór a dtug siad an Gladiator uirthi….

'Líon siad an tAsgard lán gunnaí agus piléar, go leor le

bagairt mhaith a chur ar airm na Breataine san Éirí Amach a bhí ar intinn acu. Bhí daoine i mBaile Átha Cliath agus i mbailte eile thart ar an tír ag brath ar na piléir sin. Bhí lasta trom leo agus bhí an tAsgard síos go gunail.'

'Caithfidh sé gur bád mór a bhí san Asgard!'

'Dúirt Séarlaí gur soitheach breá a bhí inti, le dhá chrann arda agus ceithre nó cúig sheol éadaí ar gach crann. Ghlac sé fear maith stiúir a choinneáil uirthi agus lasta mar sin ar bord nó bhí turas corrach anall acu. Bhí ceo trom an chuid is mó den bhealach. Chomh maith leis sin, bhí cabhlach na Sasana á gcoimhéad agus ní raibh a fhios acu caidé a bheadh rompu nuair a bhainfeadh siad a gceann scríbe amach. Dá mbéarfaí orthu, gheobhadh siad an príosún!'

D'amharc Eibhlín suas óna cuid oibre. Bhí a fhios aici nárbh áit dheas ar bith an príosún.

'Ba orthu a bhí an lúcháir nuair a thug siad an lasta i dtír i mBinn Éadair,' arsa a máthair. 'Bhí scaifte Óglach ag fanacht leo ar an chéidh … an áit dubh leo. Bhí sodar bocht orthu na gunnaí a fháil amach.'

'Agus caidé a rinneadh leis na gunnaí?' arsa Eibhlín.

'Úsáideadh na gunnaí sin in Éirí Amach 1916,' arsa a máthair, 'An cogadh a chur tús le bunadh Shaorstát na hÉireann.'

Bhí an chuthóg dheireanach déanta acu.

'Fág an chuthóg seo sa bhascáid anois, a thaiscidh, agus rith amach agus tabhair isteach an bhonnóg.'

Chomh luath agus a bhí an tae ólta agus sliseog den bhonnóg ite ag Eibhlín rith sí léi amach a doras. Chuaigh sí síos go dtí an tArd Breac agus shuigh sí ar Leac na gCoinín. D'amharc sí amach ar an bháighe agus shamhlaigh sí an bád mór seoil a bhí faoi stiúir ag mhairnéalaigh Ghabhla ag seoladh isteach go Binn Éadair.

'Anois,' a smaointigh sí, 'beidh scéal maith agam le hinse don mháistreás ar scoil amárach.'

Brighid Ní Mhonacháin

Rugadh agus tógadh Brighid i mBéal Feirste. Tá cónaí uirthi i nGaoth Dobhair, áit ar bhog sí féin agus a clann i 1973. Bhí suim mhór ariamh aici sa léitheoireacht agus is é seo an rud a spreag a cuid suime sa scríbhneoireacht. Faigheann sí sásamh breá as a bheith ag scríobh gearrscéalta agus tá cnuasacht bhreá acu curtha i dtoll a chéile aici faoin am seo. Is cúis uchtaigh di é má léann daoine iad agus má thaitníonn an corrcheann leo. Tá sí pósta ar Thomás agus tá seisear clainne acu.

Plúiríní Sneachta

Sheas Róise ag amharc amach ar an gharradh a bhí bán le plúiríní sneachta. Í féin a chuir iad an bhliain a rugadh Éamonn ach ní raibh cuimhne aici air sin nó le tamall maith anuas b'annamh cuimhne aici ar an rud a rinne sí bomaití roimhe sin. Bhí an t-am ann nuair a d'fhéadfadh sí gach bláth a ainmniú ach anois bhéarfadh sí bláthanna nó plúiríní sneachta orthu uilig ba chuma buí, dearg nó bán iad.

Chuaigh Frank a fhad léi agus leag a lámh ar a sciathán agus dúirt de ghlór chealgach: 'Goitse, a Róise. Tá bolgam tae réidh agam. Ól anois é agus é te. Níor mhaith dúinn a bheith mall ag Luí na Gréine.'

'Nach deas na bláthanna iad?' arsa Róise.

'Álainn atá siad, a Róise. Anois ól thusa an tae agus cruinn-eoidh mise cuid acu le tabhairt linn go Luí na Gréine. Beidh Bean Mhic Aodha ag fanacht le fáilte a chur romhat.'

Agus é ag amharc ar an chupa a bhí i lámh a mhná, smaointigh sé gur seo an cupa deireanach tae a d'ólfadh sí ina teach féin.

Le seachtain anuas, chuir sé fána choinne ainm an tí altranais a lua go minic; níor mhaith leis go dtiocfadh an áit úr chónaithe aniar aduaidh uirthi. Ba cheart dó áit a fháil di roimhe seo ach chuir sé an cinneadh mór sin siar ní ba mhó ná aon uair amháin. De roghain ar í a chur chuig teach a bhí céad slat síos an bóthar d'fhan sé bliain go raibh folúntas i Luí na Gréine, nó, bhí sé seo iomráiteach as an chóiríocht agus as an fhoireann óg a bhí ann. Thaitin sé le Frank an aird a bhí acu ar dhínit na n-othar. Aíonna a bhí iontu! Ní chluinfeá an focal banaltra ná mátrún, nó bheirtí Bean Mhic Aodha ar an mhátrún agus a hainm baiste ar gach banaltra. Bhéarfaí Bean Uí Bheirn ar Róise.

Bhí bliain chruaidh curtha isteach ag Frank. Bhí na pianta cnámh ag cur air ní ba dhéine agus ba mhian leis a bheith cinnte go mbeadh caoi cheart uirthi dá dtarlódh a dhath dósan. Thigeadh babhtaí diúnais uirthi ó am go ham agus ní íosadh sí bia go ceann roinnt laethanta; rud a chuireadh imní mhór ar Frank. Théadh sé rite leis éirí amach i lár na hoíche le ghabháil á cuartú nuair a gheibheadh sé an taobh s'aicise den leabaidh folamh. Thigeadh sé uirthi ag bun an bhóthair oícheanta dubha dorcha agus í conáilte agus deireadh sí leis gur ag iarraidh a ghabháil 'na bhaile 'chuig a muintir' a bhí sí. B'éigean geata a chur ag barr an staighre san oíche agus ag bun an staighre sa lá, geata an gharraidh chúil agus geata an gharraidh toisigh a chur faoi ghlas. Bhíodh an chisteanach faoi ghlas nó lá amháin chuir sí an gás ag gabháil le bainne a théamh agus rinne sí dearmad é a lasadh.

Bhí an teach mar a bheadh dún ann agus Frank ina phríos-únach ann.

Is minic a chaill sí a cuid cleiteála agus gheibhtí i bprios na scuab nó san oigheann mhicreathonnach é. Ina contúirt aici féin agus ag daoine eile a bhí Róise bhocht agus bhí cuid néaróg Frank i ndeireadh na péice.

Ba é an t-imeacht é! Thiontaigh sé coiléar fionnaidh glas a mhná in airde, dhruid cnaipí a cóta agus shlíoc siar a gruaig gheal. Bhí gile na bplúiríní sneachta a bhí ar bhacán a láimhe ag teacht le gile a craicinn. Ba bhean chaol ard í agus shamhlaigh sé le lile chaol ard ar altóir í.

'Rinne an gruagaire jab maith ar maidin, a Róise,' arsa Frank, á breathnú, agus fios aige go raibh sí ariamh bródúil as a cuid gruaige. Chuir Róise aoibh uirthi féin. Ba mhian leis a bheith cinnte go mbeadh cuma mhaith uirthi ag gabháil isteach i Luí na Gréine di.

Agus iad sa charr cheangail sé an crios fá Róise agus shuigh sí léi ina tost, na bláthanna ar a glúin. Ba le croí trom a thiomáin Frank breis agus deich míle amach an bealach. Mhothaigh sé teannas na bhféitheog ina mhuineál nó bhí sé ag doicheall go mór roimh an scaradh.

'Sin an siopa ar ghnách linn uachtar reoite a cheannacht ann, a Róise. An bhfuighidh mé cuid?'

'Is fearr dúinn a bheith in am ag an aerfort,' arsa Róise.

Ag cuimhniú a bhí sí ar na huaireanta a chuaigh siad in araicis Éamoinn ag an aerfort.

'Amharc, a Róise! Sin an scoil s'againne. An cuimhin leat teach na scoile? An áit ar casadh ar a chéile sinn? An cuimhin leat gur éirigh muid as an teagasc an bhliain chéanna? Thaistil muid cuid mhaith ó shoin, nár thaistil, a Róise? Chonaic muid Londain, Páras, Maidrid agus an Róimh … agus chuaigh muid go Bostún ar cuairt ag Éamonn? An cuimhin leat?'

'Is cuimhin liom go maith,' arsa Róise agus í ag amharc ar Frank.

'Ní cuimhin léi ar chor ar bith', a smaointigh sé. 'Nuair a tchím a súile ag caolú agus an roic úd ina héadan bíonn a fhios agam go bhfuil sí ag stámhailligh fríd dhoire dlúth a hintinne.'

D'éirigh Róise go héascaidh amach as an charr nuair a nocht Luí na Gréine; é suite os cionn Loch Cairlinn. Shílfeá ar an dreach sholasta ar a haghaidh gur ar bís a bhí sí le ghabháil isteach ann. Bhí an ghruaim anuas ar aghaidh Frank.

Bhí an mátrún agus banaltra óg ina seasamh ag cur fáilte rompu. Thaispeáin siad a seomra di agus dúirt go raibh súil acu go mbeadh sí sona ag Luí na Gréine agus má bhí a dhath ann nach raibh lena sásamh nach raibh le déanamh aici ach a rá le duine de bhunadh an tí. Dúradh léi fosta go gcuirtear bláthanna úra sna seomraí gach dara lá agus go raibh an teilifís agus raidió ansin dá mbeadh suim aici iontu.

'Go raibh maith agat. Tá achan rud go deas. B'fhéidir go bhfanfaimis seachtain agaibh nó b'fhéidir níos faide,' arsa Róise.

Chaith an bheirt acu tamall ag cur éadaí Róise isteach sna priosanna agus dráir a bhí ann agus seal eile ag crochadh pictiúr dá cuid féin ar na ballaí. Chuir Frank an raidió ag gabháil agus shuigh siad ag caint agus ag amharc ar leabhar grianghraf. I dtrátha an cúig, tháinig Anna, an bhanaltra óg, ar ais agus chuir cuireadh ar Róise a ghabháil léi fá choinne bhéile an tráthnóna.

'Bí liom a Bhean Uí Bheirn agus cuirfidh mé in aithne don chuideachta thú. Daoine deasa iad. Tá mé cinnte go mbeidh dúil agat iontu.'

D'fhág Róise slán gealgháireach ag Frank, ag rá leis go bhfeicfeadh sí ar ball é agus d'imigh léi go haigeantach; an bhanaltra agus í féin gualainn ar ghualainn.

Agus é ag gabháil síos céimeanna an tí mhothaigh Frank go raibh tromualach bainte dá chroí agus dá intinn. Bhí faoiseamh faighte aige. Níor mheas sé go mbeadh an scaradh chomh furast ach ag suí isteach sa charr dó chonaic sé bláthanna Róise scaipthe ar an urlár. 'Róise bhocht,' ar seisean agus thiomáin leis 'na bhaile chuig teach folamh.

Maidin earraigh, d'éirigh Frank go drogallach i ndiaidh oíche chorrach a chaitheamh. Ag gabháil chun olcais a bhí na pianta cnámh. Tháinig iarracht de lionndubh air. Bheadh an lá inniu mórán mar a bhí an lá inné agus bhí an lá inné mar a bhí an lá a chuaigh roimhe. Thiomáinfeadh sé go Luí na Gréine, chaithfeadh sé an tráthnóna ansin ag imirt cártaí leis na hothair agus le cuairteoirí, chuirfeadh Róise in aithne dó arís iad agus ní bheadh na hainmneacha céanna orthu inniu agus a bhí orthu inné. Rachadh siad ón tseomra lae go dtí seomra eile agus dhéanfadh siad roinnt válsaí. An ceol céanna á sheinm agus a bhí á sheinm an uair dheireanach agus an uair roimhe sin. Bhí *The Mountains of Mourne, Goodnight Irene* agus eile ar a theangaidh aige ach bhí siad uilig úrnua i gcluasa na n-othar. Thuig sé nach raibh éalú aige ó mhuileann coise an tsaoil agus go gcaithfeadh sé treabhadh leis. Ní thréigfeadh sé go brách í. Ní raibh aici ach é.

Agus a bhricfeasta caite go huaigneach aige ag an tábla bheag beirte bhuail an guthán. An mátrún a bhí ann le rá leis gur bhuail stróc beag a bhean go luath ar maidin ach gur mionstróc a bhí ann agus gan a bheith buartha. Dúirt an dochtúir ar dualgas an rud céanna; nach raibh caill uirthi. Níor ghá dó deifre a dhéanamh ann inniu; ba leor theacht ag an ghnáth-am. Ach bhí uirthi é a chur ar an eolas.

Le hobair mhór, chuir Frank cúl ar a chuid mífhoighde agus d'imigh leis ag an ghnáth-am. Bhí sé a oiread faoi strus agus a bhí sé an chéad lá a thug sé a bhean go Luí na Gréine.

'Is maith an bhean scéil í an mátrún. Níl caill ar Róise? Is cuma beag ná mór é, ghní stróc damáiste. Nach dtáinig Éamonn ag deifriú 'na bhaile ó Bhostún cúpla bliain ó shoin nuair a bhuail mionstróc a mháthair. Is cuimhin liom an croí isteach a thug sí dó ach dá gcuirfeadh sí fáilte chroíúil roimhe in áit fáilte chúirtéiseach bheinn cinnte gur aithin sí é.'

Shamhlaigh sé arís í ag gliúmáil léi sa choillín darach.

'Nár dhúirt sí liom nuair a d'imigh sé: "Níor inis tú domh ariamh, Frank, go raibh mac agat i mBostún."'

Shuigh Frank i seomra Róise ag fanacht le go dtabharfaí anuas í ach nuair a nocht sí b'éigean dó a admháil go raibh an ceart ag an mhátrún nó tháinig Róise a fhad leis agus loinnir na haithne ina súile. Thug sí ar Anna fanacht, d'fhoscail drár agus thóg amach barra seacláide. Shín sí chuici é.

'Bí ar shiúl leat anois mar a bheadh girseach mhaith ann agus ná bain dó sin go raibh do dhinnéar ite agat.'

Níor lig Anna a dhath uirthi. D'aithin Frank an múinteoir scoile a bhí i Róise tráth agus choinnigh cúl ar a gháire.

Shiúil siad sa gharradh go dtí gur ruaig an ghaoth fá theach arís iad. Chroch Róise a cóta féin agus mhol a ghabháil síos fá choinne cupa caifé. Thaitin sé le Frank í a bheith chomh sona ag Luí na Gréine. Bhí an t-ádh air nó ní minic a thrácht sí ar a ghabháil 'na bhaile agus an uair annamh a thráchtadh sí air b'fhurast í a chur ó dhoras.

Agus iad ar ais sa tseomra shlíom Frank a cuid gruaige siar, nigh a béal agus scab grabhróga an cháca mhilis dá geansaí. Ghlac sé pictiúr di agus thaispeáin di é. 'Féach mo chailín álainn,' ar seisean.

'Nach deas an bhean í,' arsa Róise, ionann is gur ag amharc ar strainséir a bhí sí. Leag sí a lámh ar a lámhsan agus d'fháisc í. Chuir sí a lámh ar a ghualainn agus rinne bánaí bánaí lena aghaidh. Líonadh Frank de ghrá di. Bhí sí ariamh caoin. D'éirigh a chroí chomh hard leis na Beanna Boirche. B'fhiú achan uile mhíle a thiomáin sé gheall ar a bheith léithe. Ar mhaithe leis an bhomaite seo thiocfadh sé ar a cheithre boinn dhá chéad míle chuici fríd shneachta, fríd shioc, fríd shíon.

Lean sé í go dtí an fhuinneog. Bhí lusanna an chromchinn ag leabhaireacht sa ghaoth.

'Tá siad ann ar fad,' arsa sise.

'Caidé atá ann ar fad, a Róise, a stór?'

'Na plúiríní sneachta.'

'Tá siad ann ar fad agus beidh go dtí deireadh an earraigh,' a d'fhreagair Frank.

Thiontaigh sí chuige, lig osna agus dúirt: 'Do bharúil an dtiocfaidh Frank inniu?'

An Croitheadh Láimhe

Chuirfeá sonrú i Robert Porter agus é ina shuí ag amharc amach ar fhuinneog an bhus. Fear beag anbhann, ag cailleadh na gruaige, agus é fá leathchéad bliain d'aois. Ní bheadh a fhios agat cé acu an raibh an Crombie rómhór aige nó an raibh seisean róbheag ag an chóta. Seans go raibh sé ag fóirstean dó deich mbliana roimhe seo ach ar dhóigh éigin bhí an chuma anois air gur caillte ina cheirteach a bhí sé.

Ba bheag a bhí le feiceáil aige amach ar an fhuinneog nó bhí an bealach beagnach tréigthe. Bhí ní ba lú de dhearnaití in Óstán an Europa ná mar a bhí de charranna le feiceáil. Ach dá ainneoin sin lean sé air ag amharc amach nó bhí Bóthar na bhFál ina nuaíocht aige. Ní raibh sé air ariamh roimhe, fiú in aimsir shíochána. D'éirigh leis roinnt Saracen a dhéanamh amach. Chonaic fosta dhá otharcharr ag imeacht faoi lánluas, a gcuid soilse rabhaidh ag bladhmadh agus a gcuid bonnán ag scréachaigh go práinneach. Ní raibh sé ach deich mbomaite ó bhordáil sé an bus agus le linn an ama sin thug sé suntas do líon na scoltacha, na dtithe pobail agus na gclochar. Ní dheachaigh sé amú air go raibh an dá mhuileann druidte, díomhaoin. A mhalairt de scéal a bhóthar féin, Bóthar Bhaile Nua na hArda. Ba sin an áit a raibh an borradh agus an biseach nó bhí na tionscail bheaga ag cothú an mhórthion-scail lena gcuid rópaí, innealra agus eile. Ba iad Samson agus Goliath, an dá chrann tógála de chuid Harland agus Wolff, na chéad rudaí a tchífeadh sé nuair a phillfeadh sé 'na bhaile tráthnóna. Comhartha fostaíochta agus rachmais a bhí iontu nó ba é 'An tOileán' a choinnigh an dé ina mhuintir leis na glúnta. B'fhada leis Bóthar na bhFál. Chonacthas dó nár mhair an turas ó oirthear Bhéal Feirste go lár an bhaile ach fad splaince. Shuigh sé i lár an bhus de roghain ar fiachadh a bheith air comhrá a dhéanamh leis an stiúraí. Ní hé gur duine deoranta a bhí ann, ach sa chás ina raibh sé anocht bhí sé aireach, faichilleach. Bhí Robert Porter ag triall ar theach a chara ach bhí eagla a chraicinn air.

B'as uachtar Bhóthar na bhFál dá chara, Gerry Trainor. Casadh ar a chéile iad an chéad lá a thoisigh siad mar phrin-tísigh in Toolbase i gceantar Fhionnachaidh. Bhí siad sé bliana déag. Ba chairde iad ón lá sin amach, Bob agus Gerry. D'oibir siad taobh le chéile agus d'ith siad a gcuid ceapairí i gcuid-eachta a chéile ag am lóin. D'imir siad cártaí le fir eile ar son pighinneacha. Rinne siad an Irish News agus an Newsletter a mhalartú. Mhair an cairdeas go maith isteach sna trioblóidí nó níor phléigh ceachtar acu reiligiún ná polaitíocht ariamh. Díobháil ná dúnmharú, pléascán ná scéin, níor tráchtadh orthu. Phléigh siad cúrsaí spóirt agus teaghlaigh agus bhí ainmneacha ban agus páistí a chéile ar a dteangaidh acu. Dá ainneoin sin is uile níor sheas siad i dtithe a chéile ariamh agus ní tchíodh siad a chéile ó thráthnóna Aoine go maidin Luain.

Bhí na mílte smaointiú ag sciorradh fríd intinn Robert agus é ar an bhus. Bhí sé chóir a bheith seachtain anois ó chonaic sé Gerry. Thart fán am sin a tharla an tubaiste a bhí anois ag tabhairt air an turas seo a dhéanamh trasna na cathrach nó seachtain agus an lá inniu níor nocht Gerry ag a chuid oibre. B'annamh leis lá a chailleadh. Ag deireadh an lae fuarthas amach gur maraíodh a aonmhac oíche Dhomhnaigh. Ábhar múinteora a bhí ann agus bhí laochas ar a mhuintir faoi nó ba é an t-aon duine den teaghlach é a chuaigh thar an mheánscolaíocht. Tugadh anbhás don stócach. Feallmharú brúidiúil. Ba chosúil gur chuir sé scairt ar thacsaí lena thabhairt 'na bhaile slán ó theach a ghirsí. Tacsaí bradach a tháinig fána choinne.

Lig Robert don bheagán eile paisinéirí tuirlingt roimhe nó b'fhearr leis iad a bheith roimhe ná ina dhiaidh. Shiúil sé leis ag amharc go bhfeiceadh sé Sráid na Mónadh a bhí ar an dara ceann i ndiaidh oifig an phoist. Bhí an t-eolas seo aige roimh ré nó thuig sé nár mhaith a ghabháil ar strae in áit choimhthíoch na laethanta seo. B'fhada leis go mbeadh sé ag teach Gerry. Ní raibh sé ar a shuaimhneas. Bhí sé ag cuimhniú cheana féin go gcaithfeadh sé theacht anuas an bóthar arís le breith ar an bhus 'na bhaile agus bhí sé ag doicheall roimhe. Bhí súil aige go mbeadh an bus ag fanacht leis agus gan eisean a bheith ag fanacht leis an bhus. Smaointigh sé ar an imní a bhí ar a bhean agus ar a theaghlach nuair a bhí sé ag imeacht ón teach. Bhí Jane in éadan é a ghabháil go Bóthar na bhFál nó mheas sí go raibh sé á chur féin i mbaol. D'impigh Victoria agus Clive air cárta comhbhróin nó bláthanna a chur. Ní thabharfadh sé isteach daofa. Ba chloíte an mhaise dó gan a ghabháil.

'Tá daoine maithe ar Bhóthar na bhFál agus ar scor ar bith tá coinsias glan agam,' arsa Robert.

'Tá. Agus bhí coinsias glan ag an fhear óg sin, a Dheaidí, agus níorbh iad na daoine maithe a mharaigh é,' arsa Victoria.

'Tuigim sin, a Vicky. Ach is é Gerry mo chara. Maraíodh a mhac. Nach dtuigeann tú, a rún, go gcaithfidh mé a ghabháil chuige? Dá mba sin Clive a maraíodh, nár mhaith linne Gerry Trainor a fheiceáil ar an tairseach s'againne?'

Ní raibh gar sa chaint. Bhí Robert ag gabháil agus b'éigean glacadh leis. Lig siad a n-imní amach i ngreann.

'Cá bhfios daoibh nach mbuailfidh mé le bean dheas ar mo bhealach?' arsa Robert.

'Agus má bhíonn sagart ag an teach ná bí thusa ag tabhairt 'Mister' air,' arsa Vicky.

'Beidh tú sábháilte go leor — ní aithneoidh aon duine thú gan do bhalcaisí oibre agus do chaipín,' arsa Clive.

Chuimhnigh Robert ar an ghreann sin agus é ag siúl leis ach níor laghdaigh sé a mhíshuaimhneas nó bhí a chroí amuigh ar a bhéal le heagla.

Sa dóigh nach n-aithneofaí mar strainséir é shiúil sé leis ar nós na réidhe mar a dhéanfadh duine de mhuintir na háite. Thrasnaigh sé agus chuaigh suas an tsráid, áit a raibh sraith de thithe agus gan iad mórán ní ba mhó ná a theach féin. B'fhurast teach na faire a aithint nó bhí solas á chaitheamh amach ón halla agus clibíní fear agus ban ina seasamh taobh amuigh.

'Ní maith liom do bhris,' arsa Robert le cailín óg rua a bhí i seomra na faire. Cailín beag géarshúileach a bhí inti agus í cosúil lena hathair.

'Ní aithním thú,' ar sí, ag croitheadh láimhe leis.

'Is mise Bob Porter, cara le d'athair,' arsa Robert.

Chuir sí aoibh uirthi féin: 'Nach iomaí uair a chuala mé an t-ainm. Go raibh míle maith agat as theacht. Is mise Máiréad.'

'Caidé mar tá d'athair?'

'Leoga níl sé go rómhaith. Tá sé conlaithe isteach ann féin agus é beo ar chupaí tae le cúig lá anuas. Tá sé cúig lá ... tá a fhios agat ó tharlaigh ... bhuel ... tuigeann tú féin. B'éigean scrúdú iarbháis a bheith ann agus fiosrúchán péas chomh maith.'

Ar bharr na cónra druidte bhí Croich Chéasta, cártaí Aifrinn, bláthanna agus coinnle lasta. Rudaí coimhthíocha uilig. Ní raibh Bob ar láthair mar seo ariamh roimhe. Níor sheas sé i dteampall ó bhí sé ina ghasúr agus é ag Sunday School nó sa Boy's Brigade. Níorbh fhear urnaí ariamh é. Mhothaigh sé as áit sa teach seo. Ní raibh fios a bhéasa ná eolas ar na gnásanna aige, agus nuair nach raibh, sheas sé taobh leis an chónra agus a cheann cromtha aige.

'A mháthair, seo Bob Porter, cara Dheaidí as Toolbase,' arsa an níon.

Rinne Robert comhbhrón le bean Gerry. Chuir sí caoinfháilte roimhe agus d'fháisc a lámh go caradach agus í ag rá go raibh a fhios aici go raibh siad iontach mór le chéile ó bhí siad ina n-ógánaigh ... chuala sí Gerry ag caint go minic air ...

gur mhaith a rinne sé theacht trasna na cathrach agus cúrsaí mar a bhí. Dúirt sí go raibh Gerry sa halla agus go mbeadh lúcháir air roimhe: 'Go raibh míle maith agat as theacht, Bob.'

Casadh níon eile dó sa halla. Banaltra a bhí inti. Chuir sí í féin in aithne, chroith lámh leis agus dúirt go dtabharfadh sí tae chuige féin agus Gerry sa chisteanach. Chuir sí comharsanach béal dorais, Bean Mhic Anna in aithne dó agus an sagart cúnta agus Paddy Brogan ón taobh eile den tsráid. 'Maith an fear,' arsa Paddy, 'an bhfuil an bóthar ciúin anocht?'

B'fhada ó chroith Robert a oiread sin lámh!

Ba bheag a aird ar an tae. Ní raibh uaidh ach tamall a chaitheamh le Gerry agus ansin an baile a bhaint amach slán sábháilte. Bheadh Jane agus na páistí ag feitheamh leis agus iad ar bís. Bheadh scéal le hinse aige fán fháilte a cuireadh roimhe agus fá na daoine uilig a cuireadh in aithne dó.

Bhí Gerry ina sheasamh ag bun an staighre giota uaidh. Níorbh ionann é agus an Gerry a raibh aithne ag Robert air Dé hAoine roimhe sin. Bhí sé snoite san aghaidh agus gan deilbh luchóige ann. Bhí Robert ullmhaithe fá choinne an bhomaite seo. Bhí guaim aige air féin nó bhí rún daingean aige gan ligean don tocht a bhua a fháil. Shiúil sé i dtreo a chara, a lámh dheas sínte amach aige agus a lámh chlé ardaithe le leagan ar a ghualainn. Ach sheas Gerry leis mar a bheadh stacán ann. D'amharc sé idir an dá shúil air, chuir a lámh ina phóca agus thiontaigh uaidh.

Éiginnteacht

Dar le Peigí go stiúgfadh sí mura dtiocfadh feothán gaoithe an lá bruite brothallach seo. Amach léi agus sheas ag binn an tí á feanáil féin le tuáille. Níor luaithe amuigh í ná seo aníos an cabhsa seanchreatlach de charr agus cleatráil bhocht leis. D'éirigh fear óg, fána bhríste gairid agus t-léine, amach as agus bheannaigh di go haoibhiúil.

'Bean Uí Cholla?' ar seisean.

'An bhean chéanna,' arsa Peigí.

Bhí súil ag an fhear óg nár mhiste léi é bualadh isteach.

'Is mise Vincent Barry ach bheir mo chairde Vinny orm. Bhí mé féin agus Úna ar an choláiste le chéile.'

'Bhuel, Peigí a bheir mo chairde ormsa,' arsa Peigí ag cur fáilte roimhe isteach.

In áit í a leanstan, phill sé ar a charr, thóg amach mála plaisteach agus rith ar ais chun tí.

Shoiprigh sé é féin ar an tolg gan chuireadh gan iarraidh agus an mála taobh leis. Tharraing Peigí an dallóg leis an áit a fhágáil níos fionnuaire nó bhí an ghrian isteach ar an fhuinneog. Thug sí deoch uisce dó agus shuigh os a chomhair. Ní raibh fiachadh uirthi mórán cainte a dhéanamh nó bhí neart geab ag an fhear óg. Thug Peigí spléachadh ar an mhála thrédhearcach. B'fhurast a fheiceáil gur bocsa seacláidí a bhí ann. D'aithin sí sin nó thug scoláire Gaeilge a mhacasamhail di ceithre nó cúig bliana roimhe sin. Ba dhoiligh di dearmad a dhéanamh d'fhéirín chomh gleoite. Thuig sí nár cheart di a bheith ag amharc ar an mhála ach d'ainneoin a díchill bhí leathchluas uirthi leis an chomhrá agus leathshúil aici ar an mhála. Bhí Vinny ag rá go raibh sé ar a bhealach go Mín an Chladaigh, gur fríd Úna a chuir sé eolas ar an áit sin an chéad bhliain ar an ollscoil dó. Thug Peigí iarraidh gan amharc arís i dtreo an mhála ach dá ainneoin sin thug sí cúpla spléachadh eile air go formhothaithe. I rith an ama bhí sí ag smaointiú cad chuige a dtabharfadh an duine seo bosca seacláidí chuici. I ndiaidh an iomláin ní raibh aithne ar bith aici air. Níor luaigh Úna an t-ainm Vinny ariamh.

Bhí Vinny ag caint; ag moladh mhuintir Mhín an Chladaigh agus bean tí a bhí ansin. D'imigh an tráthnóna ar cosa in airde nó bhí Vinny ag scileadh leis. B'fhada an lá ó sheas fear óg nó bean óg chomh suimiúil taitneamhach ar urlár an tí aici. Bhí Peigí breá cleachtaithe le cairde an teaghlaigh bualadh isteach. Thug sí fá dear gur luaigh sé ainm Úna ní ba mhó ná aon uair amháin agus d'éirigh dóchas beag inti go raibh suim acu ina chéile. Smaointigh sí fosta gurbh é sin an míniú a d'fhéadfadh a bheith ar an bhronntanas. Ach mharaigh Vinny an dóchas sin nuair a dúirt sé go raibh sé lena chailín a thabhairt as Mín an Chladaigh go Béal Feirste ar feadh cúpla lá agus go mbeadh sí ag fanacht roinnt oícheanta i dteach Úna.

'Tá aithne mhaith acu ar a chéile nó ba í Úna a chuir Caitlín in aithne domh an chéad lá ariamh. Caitlín Nic Éidigh atá uirthi, a Pheigí.'

Agus Vinny anois ar a chompord i gcuideachta Pheigí, d'fhág sé an mála uaidh faoin tolg agus chuir a chosa crosach ar a chéile. Lean súile Pheigí an mála nó bhí sé mar a bheadh maighnéad ann. Bhí sí féin ar a compord agus a croí ag téamh le Vinny in aghaidh an bhomaite. Dar léi gur dheas an phearsa fir óig an Vinny seo agus é chomh nádúrtha dea-chainteach, caradach. Thiontaigh sí ina threo arís. Bhí sé ag rá léi go raibh sé go díreach réidh lena chúrsa agus ar ámharaí an tsaoil go raibh obair aimsithe aige cheana féin — bheadh sé ar fheabhas a bheith neamhspleách ar a mhuintir fá dheireadh thiar thall — go raibh sé cinnte go mbeadh lúcháir ar a mhuintir fosta a bheith réidh leisean.

'Beidh mo chéad seic i mo ghlaic agam i dtús an fhómhair. Nach maith mé, a Pheigí?' arsa Vinny, ag bualadh boise ar a ghlúin agus ag gáire go croíúil.

Thréaslaigh sí a phost úr dó óna croí amach agus smaointigh sí fosta nach dtiocfadh léi bronntanas a ghlacadh ó stócach nach raibh a chéad phá saothraithe aige go fóill. Ach ansin ba dhoiligh bronntanas a dhiúltú gan é a ghortú. Ní fhéadfadh sí, ach oiread, a rá go raibh sí ar aiste bia nó bhí sí chomh caol le cuiteog. Ar scor ar bith, dar léi nach raibh ann ach amaidí a bheith ag cíoradh na ceiste ar an dóigh seo ó tharla nach dtug sé an bronntanas di. Nach raibh airgead caite aige ar na seacláidí cheana féin? Chaithfeadh sí tuilleadh machnaimh a dhéanamh.

Ní dheachaigh stad ar bhéal Vinny a fhad agus a bhí Peigí ag déanamh tae sa chisteanach. Bhí sruth cainte ceantálaí aige agus bhí aoibh ar bhéal Pheigí agus í ag éisteacht leis. D'fhág sí pláta de thoirtíní móra buí ar an tábla agus lúcháir uirthi go raibh siad déanta aici sula dtáinig brothall an lae.

Chuir Vinny a chosa faoin tábla agus leag ar na toirtíní. Bhí Peigí sásta agus í á choimhéad á n-ithe le fonn.

D'fhreastail sí an t-áiméar nuair a bhí béal Vinny lán.

'Agus an bhfuil sibh scaifte mór ann sa bhaile nó tú féin go díreach?' ar sise.

'Tá lán an tí againn ann. Tá mo dheirfiúr Nóra níos sine ná mé agus tá seisear eile sa bhaile chomh maith.'

'Agus an bhfuil obair ag Nóra?'

'Bhuel, tá agus níl. Seo mar atá, ní raibh torthaí na scrúduithe faighte aici fiú nuair a chuaigh sí sna mná rialta agus d'oil siad mar bhanaltra í.'

'Agus nach mór an deifre a bhí uirthi isteach sna mná rialta? Shílfeá go dtabharfadh sí lámh chuidithe leis an chuid eile agaibh a thógáil.'

'Díreach an rud a dúirt m'athair, a Pheigí! Tiománaí bus a bhí ann ach d'éirigh sé as a chuid oibre an bhliain roimhe sin nó bhí sé cráite ag pianta cnámh. Ach, tá mo mháthair iontach sásta agus an bhfuil a fhios agat cad chuige, a Pheigí? Cionn is go mbeidh Nóra ag gabháil chun na Súdáine i gcionn coicíse agus nuair a chonaic mo mháthair an tSúdáin ar an léarscáil thuig sí go mbeadh cúram leanaí dubha ar Nóra.'

Bhí na toirtíní ag gabháil as radharc mar a rachadh boinn i meaisín cearrbhachais. Chuir Vinny cnoc ime ar an toirtín dheireanach agus d'éirigh Peigí le tuilleadh a fháil. Bhí réiteach luach na seacláidí ag fabhrú ina hintinn ón bhomaite a luaigh Vinny an tSúdáin. Thug sí boiseog dá haghaidh as an bhuacaire fhuar. Thóg sí anuas taephota beag ón tseilf ina raibh nóta €10 agus nóta €5. Shleamhnaigh sí an €10 isteach i bpóca a naprúin, chuir a raibh fágtha de thoirtíní ar phláta agus phill ar Vinny. D'fhág sí na €10 ar an tábla in aice leis agus mhínigh dó gur síntiús a bhí ann do Nóra.

Níorbh fhurast tabhairt ar Vinny an t-airgead a ghlacadh. Dhiúltaigh sé dubh agus bán é. Dúirt sé go raibh tréan airgid ag na mná rialta, go raibh cuid mhór cairde ag a dheirfiúr agus go raibh sé cinnte go raibh bailiúchán airgid déanta acu ar a son. Ní ghlacfadh Peigí le diúltú ar ndóigh agus mhothaigh sí sásamh agus faoiseamh intinne nuair a chur Vinny an t-airgead ina phóca. Chuir sé cnoc ime ar thoirtín eile. D'ith Peigí ceann fosta.

'Gan ach aon cheann amháin fágtha!' a smaointigh sí. Ach ba chuma léi. Nuair a d'imeodh Vinny dhéanfadh sí pota úr tae agus dhéanfadh sí craos ar na seacláidí. Ar scor ar bith ní bhainfeadh sé i bhfad aisti moll eile a chur san oigheann ar maidin.

Bhí an t-am á chaitheamh! Ba é an t-imeacht é! D'éirigh Vinny ina sheasamh agus chroith lámh le Peigí. Ghabh sé mórbhuíochas léi as an fháilte a chuir sí roimhe, thóg troigh den urlár í agus thug croí mór isteach di. Dúirt sé go raibh na toirtíní ar fheabhas an domhain agus go raibh súil aige nach dtearn sé bó de féin. Níor dhúirt Peigí nach dtearn ach rinne an bheirt acu racht gáire.

D'imigh Vinny i dtreo an dorais agus lean Peigí é. Ach bhí sí ag meabhrú. Bhí na seacláidí adaí ag déanamh meadhráin di. Ar léi iad? Níor bhronn sé uirthi iad ach cha dtug sé leis iad ach oiread.

'Cén chaint atá orm fá bronnadh? Is liom iad cinnte. Cad chuige a dtug sé isteach iad mura domhsa iad? An bhfuil tú ag rá go dtug sé isteach iad le go dtabharfadh sé amach arís iad? Amaidí…! Ach, caithfidh mé a bheith cinnte. Cuir i gcás nuair a bheadh sé imithe gur oscail mé na seacláidí agus gur phill Vinny á n-iarraidh! A Dhia mhóir! Gheobhainn bás le náire!'

Bhí dóigh amháin ann leis an éiginnteacht a scaipeadh. Thóg sí an mála amach as faoin tolg agus reath i ndiaidh Vinny agus í ag scairtigh lena dhroim.

'Vinny! Vinny!'

Shín sí chuige an mála.

'D'fhág tú do mhála i do dhiaidh, a Vinny.'

D'amharc sé thar a ghualainn agus phill.

'Mo dhearmad,' ar seisean. 'Leáfadh siad le teas an chairr. Sin seacláidí a cheannaigh mé do Bhean Mhic Éidigh.'

D'iompair Peigí na gréithre ón tábla go dtí an bord oibre. Chuir sí an clár ar ais ar an taephota bheag agus chuir suas ar ais ar an tseilf é. Gan smaointiú bhain sí greim as an toirtín taobh léi. Dar léi gur leamh an blas a bhí air mar thoirtín.

An Bronntanas

Am iontach corraitheach a bhíodh sa Nollaig sa teach s'againne agus chóir a bheith go mbaintí níos mó suilt as ceannacht agus as tabhairt na mbronntanas ná mar a bhaintí as an Nollaig féin.

Bliain amháin bhí gach bronntanas ceannaithe ach aon cheann amháin — ceann Aintín Máire. Bhí dúil mhór ag na gasúraí inti agus dar leo nach ndéanfadh cúis ach an scoth. Bheadh toghadh cúramach de dhíth.

Ar thús an teaghlaigh a bhí Pádraig agus é aon bhliain déag. Roghnaigh sé é féin mar cheannaire nó ba aige, dar leis, a bhí an chiall agus an cumas stangaireachta. Ní raibh ag an fhear eile ach cuid an tsearraigh den chléith.

D'imigh siad leo ar an bhus tráthnóna dubh clabach agus phill siad trí huaire an chloig ní ba mhoille agus iad ina líbín báite i ndiaidh siúl ón chroisbhealach. Choimhéad mé iad ag teacht anuas an cabhsa agus ainneoin fuachta agus fearthainne shílfeá ar an dreach sholasta ar an dá aghaidh go rabhthas i ndiaidh Saoirse an Bhaile a bhronnadh orthu. Bhí mála mór plaisteach á iompar ag an fhear bheag.

Gan bomaite moille d'fhág siad an mála ar leacacha

cruaidhe na cisteanadh os comhair craos tineadh agus thóg amach an chéad bheart. Bhí siad i rith an ama ag amharc go buacach ar a chéile amhail is go raibh éacht déanta acu.

D'iarr siad ar na páistí eile suí siar agus hiarradh ormsa an leanbh a thógáil 'ar eagla taisme, tá a fhios agat!'

Bhí a oiread de pháipéar thart orthu agus a gheofá i gclólann an Derry People. Bhí an beartán ag gabháil i laghad de réir a chéile agus shíl mé nach mbeadh deireadh a choíche leis an tsearmanas nochtaithe.

'An bhfuil mórán eile le baint?' arsa mise. 'Tá muid ar bís.'

'D'iarr muid tréan páipéir,' arsa Pádraig, fear na céille, nó níorbh fhiú díol as rud agus a thabhairt 'na bhaile briste.'

Sula raibh an bronntanas feicthe againn thoisigh an bheirt acu as béal a chéile ag cur síos ar ghnoithe an tráthnóna.

'B'iontach linn nár iarr an boc sin airgead ar an pháipéar,' arsa Joe, 'nó ní duine deas é, a mháthair.'

'Cá háit ar cheannaigh sibh é?'

'Tá a fhios agat an siopa sin "Féirín".'

'Tá a fhios! Tigh Mhic an Bháird! Níl dúil agam féin san fhear sin. Níl múineadh madaidh air. Cad chuige a dteachaigh sibh chuigesean?'

'Bhuel, shiúil muid an tsráid ó bhun go barr dhá uair. Nár shiúil, a Joe? Agus níl ach aon siopa amháin ann a dhíolann bronntanais.'

Nocht siad sa deireadh é — bróg ard mná d'albastar liathbhán gan loinnir. Ní bheinn ag inse bréige dá n-abróinn gur bhain sí stangadh asam, bhí sí chomh gránna sin. Mar bharr 'maise' ar an ornáid seo bhí iallacha órga péinteáilte ag cur in iúl go raibh siad fite fríd shúilíní. Bhí sí cosúil le rud a dhíolfaí ar shráid an aonaigh céad bliain ó shoin. Fágadh gan focal mé.

'Caidé do bharúil, a mháthair?'

Sheachain mé an bhréag, chuir aoibh orm agus rinne píosa aisteoireachta a thuillfeadh duais ag féile.

'Ní fhaca mé a leithéid ariamh, a ghasúraí. Fan go bhfeice Aintín Máire seo. Tá dúil mhór in ornáidí aici.'

Bhí an dís borrtha le bród agus sástacht. Chuaigh siad i gceann an darna beartán a fhoscailt.

'Bíodh geall go bhfuil sé seo deas,' arsa mise.

'Macasmhail an chinn eile atá ann, a mháthair. Cheannaigh muid péire. Thig léi iad a fhágáil ar dhá thaobh na fuinneoige móire sa tseomra suí.'

Thit mo chroí ach níor dhúirt mé ach: 'Tá an boc sin daor. Ar iarr sé mórán?'

'D'iarr. Ach ní bhfuair sé ar iarr sé nó chuaigh Pádraig a mhargáil leis. Chuir sé ceist cá mhéad a bhí ar an bhróg san fhuinneog agus ar an bhomaite bhí an bhróg tógtha amach ag an smugachán bheag sin de mhac aige.'

'Seacht bpunta a d'fhreagair an smugachán amhail is dá mba airsean a chuir muid an cheist. Rinne Pádraig neamh-iontas den chroíán ach d'amharc sé san aghaidh ar an athair.'

'Cá mhéad atá ar bheirt?' a d'fhiafraigh sé. 'Bhuel, ba sin an uair a thoisigh an magadh, a mháthair.'

'Á! Seo againn beirt nach bhfuil a gcuid sums acu,' arsa fear an tsiopa. 'Cá mhéad sin, a Charlie? Seacht fá dhó?'

'Cheol Charlie beag amach go caolghlórach: "Fourteen, Daddy."'

'Dúirt Pádraig nach raibh againn ach dhá phunta dhéag agus chuir sé in iúl imeacht. Bréag a bhí ansin, a mháthair. Bhí cúig phunta dhéag againn. Scaladh an Bháird ar ais orainn agus dúirt go ndíolfadh sé an péire ar dhá phunta dhéag.'

'Rinne sibh lá maith oibre, a ghasúraí. Geallaim daoibh go mbeidh an bronntanas sin ina lán súl ag Aintín Máire.'

Cuireadh an páipéar adaí ar ais ar na hornáidí, fágadh ar leataobh iad agus seoladh chuig an Iúr iad an lá arna mhárach.

Maidin Lae Nollag fuair mé scairt ghutháin ó mo dheir-fiúr agus rinne muid ár sáith gáire fán bhronntanas. Dúirt sí go raibh fuath aici orthu ach san am chéanna go raibh siad chomh luachmhar aici le vása Ming. Dúirt sí nach raibh sé de chroí aici gan iad a chur ar taispeáint — go bhfágfadh sí ar dhá thaobh na fuinneoige iad — ach ar chúl na gcuirtíní. Ansin labhair sí leis na gasúraí agus thug céad moladh agus buíochas daofa. Dúirt sí go gcuirfeadh sí ar leac na fuinneoige iad in aice leis na rudaí luachmhara eile — taobh lena criostal Phort Láirge agus le gnéithe Bhéal Leice agus Limoges.

Ceithre bliana ina dhiaidh sin agus cipe de shaighdiúirí Sasanacha ag gabháil thar bráid pléascadh buama píopa i Sráid Browning ar an Iúr. Tugadh amach ar an raidió go dtearnadh cuid mhór damáiste do roinnt árasán. Ar an bhomaite chuir mé an guthán ar mo dheirfiúr. Bhí sí slán sábháilte. Siabadh an fhuinneog isteach agus rinneadh smionagar dá cuid ornáidí — ornáidí a chnuasaigh sí ó bhí sí sna déaga. Chuala mé an smeacharnach. Thug sí iarraidh leanstan leis an chomhrá agus bhí snag idir achan darna focal.

Ní raibh a fhios agam caidé ba cheart domh a rá. D'fhan mé i mo thost le faill a thabhairt di theacht chuici féin.

'Agus ar scriosadh deireadh?' arsa mise.

'Níor fágadh slán gan bhriseadh ach an dá bhróg albastair adaí. Agus an bhfuil a fhios agat caidé a rinne mé? Thug mé liom casúr agus rinne mé smidiríní díofa.'

Síle Uí Ghallchóir

Tógadh Síle, nó Baba Jimí mar is fearr aithne uirthi, in Ard na mBáinseog ar Oileán Ghabhla. Ba í an duine deireanach a síníodh ar rolla Scoil Náisiúnta Ghabhla sular druideadh í. Nuair amháin a druideadh an scoil, bhí ar an teaghlach bogadh go tír mór. Chuaigh sí go Pobalscoil Ghaoth Dobhair agus go hInstitiúid Teicneolaíochta Leitir Ceanainn áit a bhfuair sí Teastas i Riarachán Gnó. Tá dioplómaí bainte amach aici sa Ghaeilge agus i bhForbairt Pobail le hOllscoil na hÉireann, Gaillimh. Tá sí ag obair mar Oifigeach Traenála agus Riaracháin le Muintearas Thír Chonaill.

Tá sí pósta ar Eoghan agus tá beirt chlainne acu, Síle agus Proinnsias. Rugadh níon eile daofa, Brídín, ach fuair sí bás ina leanbh. Ina dhiaidh sin a thoisigh Síle ag scríobh filíochta agus scéalta dá cuid páistí agus tá suim aici i litríocht don aos óg. Tá cónaí orthu ar an Ard Donn i bParóiste Ghaoth Dobhair.

Séala Chríost

'Caithfear glacadh le toil Dé,' a dúirt sé. Is trom mo chroí inniu agus mé ag sileadh na ndeor ar an mhaidin bhog shamhraidh seo. Chuir Liam fá mo choinne le labhairt liom agus chuir mé grinn ann seo. Shíl mé go raibh a intinn athraithe aige sa deireadh, ach in áit sin, ba bhriseadh croí ní ba mheasa ná a d'fhéadfainn a shamhlú a bhí i ndán domh.

Bhí cuireadh faighte ag bunadh an cheantair uilig agus chuaigh siad ar bhus go hArd-Eaglais Naomh Adhamhnán i Leitir Ceanainn go luath maidin Dé Domhnaigh. Tháinig na hoirnithe, dháréag acu ar fad, fríd an doras agus shiúil siad suas fríd lár theach an phobail chun na haltóra.

Ba Liam an dara duine isteach an doras, casal an tsagairt á iompar aige ar a lámh chlé, coinneal ar lasadh ina lámh dheas agus é ag amharc roimhe go dáiríribh. Ní raibh bun cleite amach ná barr cleite isteach agus é cóirithe go galánta.

Tháinig an tEaspag isteach ag deireadh agus beirt shagart á thionlacan. Shuigh an tEaspag agus cuireadh an mítéar ar a cheann. Léadh amach ainmneacha an dáréag. Liam Ó Murchú an duine deireanach a scairteadh amach agus d'fhreagair sé: 'Tá mé anseo, a Easpaig uasail.'

Ansin, thug an dáréag na coinnle uathu agus shleamh-naigh siad síos go talamh os comhair na haltóra agus d'fhan ansin sínte agus a mbéal fúthu fad is a bhí paidir fhada á rá.

Díreach ina dhiaidh sin, tháinig an t-oirniú féin. Chuaigh an tEaspag ó dhuine go duine, chuir a lámh orthu agus dúirt paidir os a gcionn. Duine ar dhuine thug siad móide don Eaglais agus bronnadh an tsacraimint orthu.

Bhí bunadh Mhín an Chillín ag faire go géar nuair a tháinig siad a fhad le Liam.

Nuair a bhog an tEaspag ar aghaidh go dtí an chéad duine eile bhí Liam ina shagart. Bhí sé anois ceaptha le hobair Dé a dhéanamh agus seasamh idir an duine agus Dia. An dá lámh bhoga sin, ar ar cuireadh an ola choisricthe, is tríothu sin a thiocfadh grásta, maithiúnas agus beannacht ó Dhia chuig an duine. Bhí cumhacht tugtha dó ó neamh.

Agus ní raibh a fhios agamsa cé acu ar chóir domh a bheith sásta nó brónach.

Bhain an tAifreann, an ceol agus an t-oirniú deora as go leor a bhí i láthair. Bhí an tAifreann fada thart fá dheireadh agus chuaigh na sagairt óga síos fríd theach an phobail agus amach i measc a ngaolta agus a gcairde.

D'fhéach an Sagart Liam ar a mháthair agus ormsa agus é ag gabháil thar bráid. Ba seo ócáid speisialta dúinn mar phobal, mar chairde agus mar theaghlach. Bhí mórtas, lúch-áir agus áthas inár gcroíthe. Ach, bhí rún idir mé féin agus Liam a bhí le feiceáil mar ualach trom air. Níl aon sólás nach leanann an dólás féin é.

Tógadh mé féin agus Liam béal dorais dá chéile agus bhí

muid dlúth dóite dá chéile inár bpáistí ag rith thart fá imeall na trá ar Mhachaire na Leice. Ba shuáilceach an saol breá a bhí againn ag siúl 'na scoile le chéile, fód mónadh faoinár n-ascaillí, agus ag buachailleacht i ndiaidh am scoile nuair a bhí muid ní ba shine. Rinne muid an Chéad Chomaoineach le chéile agus cheiliúir muid ócáidí móra an tsaoil le chéile i gcónaí. Chuaigh an bheirt againn go Pobalscoil na Scríbe áit ar chaith muid cúig bliana agus níor chlis ar ár gcairdeas ariamh.

Nach aistíoch an saol agus na crosa troma a thugann sé do theaghlaigh áithride? Ní raibh cuimhne ag Liam ar a athair mar nach raibh sé ach bliain d'aois nuair a cailleadh é. Báthadh é amuigh ag iascaireacht gliomach lá amháin. Tháinig an curach isteach folamh ar thrá Mhachaire na nGall agus gan Mící ann. Ní bhfuarthas trácht ná tuairisc ar a chorp ariamh ó shoin. Aimsir dheas bhog a bhí ann agus bhí snámh maith ag Mící. Níor thuig aon duine ariamh caidé a tharla dó. Fágadh Liam agus a mháthair ar an ghannchuid; mar gheall nár frítheadh an corp, ní raibh siad i dteideal liúntas ná dadaidh go raibh seacht mbliana thuas. D'amharc mise ariamh amach dó Liam nó chonaic mé go raibh an t-easnamh sin i gcónaí ag cur as dó.

Ba mhinic a d'fheictí le chéile muid agus dúirt na comharsanaigh go mbeadh mé féin agus Liam i gcuideachta a chéile i gcónaí — agus shíl mé féin gur mar sin a bheadh. Ba é Liam mo chéadsearc agus bhí mo chroí istigh ann le blianta, ach choinnigh mé ceilte é chomh maith is a thiocfadh liom nó bhí eagla orm an cairdeas a mhilleadh.

An oíche a bhí muid ag ceiliúradh torthaí na hArdteiste, sin an uair a phóg muid. Oíche réabghealaí a bhí ann agus muid ag siúl 'na bhaile. Bhí solas na gealaí ag damhsa ina shúile agus bheir sé greim láimhe orm lena dhá lámh bhoga. Ach, chlúdaigh néal dorcha solas na gealaí agus d'éirigh Liam suaimhneach. Bhí a fhios agam go raibh sé rómhaith le bheith fíor.

An lá arna mhárach d'inis sé domh go raibh sé ag gabháil go Maigh Nuad le bheith ina shagart. Bhain sin an chéad stangadh asam agus bhí mé ar mire leis ar chúis inteacht.

Ach, lean an saol ar aghaidh agus cháiligh mise mar mhúinteoir. D'fhás an t-achar a bhí idir mé agus Liam ach níor mhaolaigh mo ghrá dó ariamh. Chasainn leis ó am go ham thar na blianta agus shiúlaimis le chéile. D'insíodh sé domh faoin tsagartacht agus a ghrá do Dhia agus d'éistinn leis go brónach. Nach raibh a fhios aige go leanfainn go deireadh an domhain é?

Le tamall anuas, chuir a mháthair féin grinn sa dóigh a raibh Liam chomh suaimhneach is a bhí ach ní raibh sé ag caitheamh mórán ama sa bhaile agus shíl sí gur tuirseach a bhí sé ón obair dhíograiseach a bhí sé a dhéanamh. Ní raibh sé chomh gealgháireach agus ba ghnách leis bheith, ach thuig sí go raibh sé ceaptha anois le seasamh idir an duine agus Dia, idir an saol seo agus an saol a bhí le theacht agus scaoil sí uaithi an buaireamh.

An mhaidin sin a chuir sé fá mo choinne, shíl mé cinnte go raibh athrú intinne aige ach ina áit sin is éard a d'inis sé domh go raibh grá aige domh ach go raibh an scairt chun na sagartachta ní ba láidre. Tháinig na focail chugam mar bhuillí troma. Bhí mise sásta fanacht díomhaoin go deo a d'inis mé dó. Níl leigheas ar mo ghrá dó. Chuaigh na focail sin go dtí an croí ionam agus mothaím go fóill go bhfuil mo chorp bodhar.

B'aoibhinn an aisling a bhí agam, ach tá deireadh leis sin anois. Mhothaigh mé brí ag teacht i mo chuislí agus ní raibh pian i mo chroí ní ba mhó. Bhí rud amháin soiléir domh, rinne Liam a rogha agus d'fhág sé féirín agamsa. Níor cheil mé an fhírinne air ach fágadh cailín óg i gcruachás. Beidh ormsa mé féin aire a thabhairt don ghin atá le theacht.

Nithe Ceilte

Tá mé ar ais i mo shuí ar na creagacha faoi mar a gheall mé daofa; tráthnóna dorcha fómhair le hiomlán rabharta. Cluinim glór faoileoige os mo chionn agus siosarnach gaoithe fá bheanna an chladaigh. Níl Críostaí beo le feiceáil fá imeall na trá.

Tá cumhaidh orm agus mé traochta nó tá an taobh tíre uilig athraithe agus ní mó ná go n-aithním an áit. Tá an tráthnóna dorcha seo iontach fuar.

Bhí am ann agus bhí cónaí orm go sona sásta sna bólaí seo le m'fhear céile Pádraig agus mo bheirt chlainne, ach tá an lá sin imithe choíche.

Lá breá samhraidh amháin sa tseansaol bhí fear amuigh ag iascaireacht idir Gabhla agus Inis Meáin. Bhí mise ag snámh thart gan buaireamh san áit go dtí gur chuala mé trup iargúlta. Sula raibh am agam tomadh síos isteach sa doimhneacht mhothaigh mé buille trom sa taobh a chaith siar san uisce mé. Bhí mo thaobh clé uilig síos liom agus ní raibh mé ábalta mo lámh a bhogadh. Bhí eagla orm gur briste a bhí sí. Bhí a fhios agam go raibh mé i mbaol báite nó ní raibh urradh ar bith fágtha ionam agus bhí an phian á mo chéasadh. Ansin, chonaic mé bád beag ag seoladh thar bráid.

D'éirigh liom snámh píosa beag ar bharr an uisce agus caithfidh sé go bhfaca fear an bháid mé nó thug sé an bád i mo threo. D'éirigh liom toiseach an bháid a bhaint amach agus chuidigh an fear liom isteach sa bhád. Ba mhór an sólás domh é.

Shuigh mé ar an mhaide toisigh go leisciúil ach ní raibh faoiseamh agam ón phian. Caithfidh sé go dteachaidh mé i laige leis an phian ansin nó ní cuimhin liom a dhath eile fán lá sin.

Is cosúil go raibh mé iontach tinn nó cha dtáinig mé thart go ceann ceithre nó cúig lá ina dhiaidh sin. Mhuscail mé agus mé sínte i leaba bhog i seomra te teolaí le ballaí geala agus cuirtíní buí ar an fhuinneog.

Bhí bean bheag liath lách ag déanamh freastail orm agus thuig mé uaithi gur Hanna a hainm. Thug sí fear óg isteach chugam, Pádraig; an fear a thug tarrtháil orm. Bhí sé caol ard, gruaig chatach dhubh air agus súile móra gorma aige.

Níor thuig mé caidé a tharla domh cé go raibh siad ar a ndícheall ag iarraidh míniú domh, nó, bhí deacracht againn — ní raibh siadsan ábalta mo chanúintse a thuigbheáil agus ní raibh mise ábalta iadsan a thuigbheáil.

Thug siad aire mhaith domh, mar sin féin, agus i seal gairid fuair mise an chaint agus bhí mé ábalta labhairt cosúil leo féin. De réir a chéile d'éirigh mé ní ba láidre.

Scaip an scéal go raibh bean choimhthíoch sa bhaile ag Pádraig Bán as Baile na Leice. Chruinnigh an baile isteach le fáilte a chur romham. Bhí sé ag cur as do na comharsanaigh cá dtáinig Pádraig ar an bhean álainn a bhí sa teach aige.

Chuaigh cúpla mí thart agus d'éirigh mé féin agus Pádraig iontach dóite dá chéile. Bhí sé maith domh. Thit muid i ngrá agus ba mhinic a bhí muid ag suirí le chéile nuair a bheireadh sé amach ag buachailleacht an eallaigh mé. Ach bhí rud inteacht ar chúl m'intinne i gcónaí a bhí ag cur as domh. Bhí cumhaidh orm do rud inteacht ach níor thuig mé go díreach caidé a bhí ann.

Oíche amháin, bhí trioblóid ag Pádraig le bó a bhí ag breith sa bhóitheach agus bhí air cur fá choinne na gcomharsanach. Bhreith an bhó gamhain beag baineann agus blíodh an gruth buí. Ghlan Pádraig suas an áit agus tugadh cuireadh do na comharsanaigh a ghabháil chun tí le bolgam tae a ól. D'iarr Pádraig ormsa fanacht siar nuair a rachadh na comharsanaigh isteach mar go raibh rud inteacht ar mhaith leis a phlé liom.

Sular fhág muid an bóitheach chuir Pádraig ceist orm an bpósfainn é? Baineadh an anáil díom nuair a dúirt sé é agus dhóbair nach raibh mé ábalta an freagra a thabhairt. Ní raibh ní ar bith ab ansa liomsa sa tsaol mhór ná bheith mar bhean chéile ag Pádraig nó thit mé i ngrá leis an chéad uair a chonaic mé é. Bhíodh aoibh shoineanta shéimh air i gcónaí. Thrust mé Pádraig go hiomlán agus smaointigh mé gur againn a bheadh an teach beag suáilceach le greann agus grá.

Ghlac mé lena thairiscint go fonnmhar. Nuair a chuaigh muid isteach chun tí, d'ól a raibh i láthair ár sláinte nuair a d'inis muid an nuaíocht daofa.

Ar lá na bainise, chruinnigh an baile agus thug siad ceiliúradh dúinn a mhair seacht lá agus seacht n-oíche.

Chaith mé culaith bhainise Hanna. Culaith dheas éadrom ghorm. Bhronn sí orm í mar nach raibh aici de chlann ach Pádraig agus ba orm a bhí an lúcháir an tseoid luachmhar a chaitheamh.

Rinne muid cónaí cois trá i Machaire na Leice. Chónaigh muid le Hanna ar feadh roinnt blianta i ndiaidh ár bpósta go raibh teach beag tógtha againn dúinn féin. D'oibir Pádraig go cruaidh le meitheal oibre ar an teach. I ndiaidh seal blianta bhronn Dia mac orainn agus taobh istigh de bhliain tháinig girseach. Pádraig Óg agus Máire a thug muid orthu. Bhí siad go maith sa tsaol ar achan dóigh — gasta, cliste agus geal-gháireach. Chuaigh siad 'na scoile achan lá agus ní raibh lá tinneas ariamh orthu.

Achan lá, nuair a rachadh Pádraig amach ag iascaireacht bheadh lasta éisc 'na bhaile leis. Dúirt sé go raibh rath agus bláth air leis an iascaireacht ón lá a casadh mise air agus dúirt sé nach raibh sé ag iarradh mé a chailleadh go deo na ndeor. Ba é an iascaireacht a shlí bheatha agus ní raibh anás ar bith orainn ariamh.

Nuair a bheadh Pádraig amuigh ag iascaireacht bhí dúil agamsa siúl fán chladach. D'amharcfainn amach 'na farraige agus bhraithfinn go raibh rud inteacht á mo tharraingt amach. Nuair a chluinfinn rón ag caoineadh san oíche shílfinn go dtuigfinn caidé a bhí á rá aige.

I ndiaidh ocht mbliana, fuair Hanna taom croí a thug a bás. Cuireadh i gcré na cille in aice linn í. B'uaigneach a chaith muid an geimhreadh sin ina diaidh. Chrothnaigh na páistí go mór í nó ba ghnách léi scéalta sí a insint daofa agus ba í a d'fhoghlaim a gcuid paidreacha daofa. Cha dtearn siad ariamh dearmad den tógáil mhaith a thug a máthair mhór daofa. Chonaic mé críonnacht Mhóraí in éadan Mháire agus í ag fás aníos. Deir siad go mbriseann an dúchas fríd shúile an chait.

Bhí na páistí ag éirí mór agus láidir agus bhí siad ina gcuidiú maith domhsa agus do Phádraig. Lá amháin san fhómhar, bhí Pádraig ag déanamh cruach choirce. Bhí na páistí ag cuidiú leis an chruach choirce a thógáil agus cibé treascairt a bhí ar Mháire agus a hathair chonaic sí an rud galánta seo cosúil le hór ag lonrú agus chuir sí sonrú ann. Mhínigh an t-athair don ghirseach go bé sin an gléas snámha a bhí ag a máthair nuair a fuair seisean í agus í gortaithe. Chuala mise an comhrá mar go raibh barr na fuinneoige foscailte. 'Tá a saol anseo linne anois,' a chuala mé é ag rá, 'agus ní ar bharr na dtonn.'

Níor thuig mé i gceart ar dtús caidé an bhrí a bhí leis na focail ach nuair a tháinig Máire isteach tráthnóna agus d'inis sí domh fán ghléas deas cosúil le hór a chuir Daidí i bhfolach ormsa i mbun chruach an choirce, thuig mé an scéal agus chuimhnigh mé cé mé féin. Bhraith mé an fonn aistíoch seo a bhí ag borradh istigh ionam. D'iarr Máire orm an scéal a mhíniú agus rinne mé sin chomh maith is a thiocfadh liom.

I ndiaidh na heachtra sin ní raibh mé ar mo shuaimhneas. Thuig mé caidé an cumhaidh a bhí orm ariamh is i gcónaí. Shuigh mé síos leis an bheirt pháiste agus d'inis mé daofa go raibh grá agam daofa agus dá n-athair ach go raibh rud éigin a bhí orm a dhéanamh. Ar bharr na dtonn agus i dtír na mbeann a bhí mo chéad chónaí agus chaithfinn a ghabháil ann arís, ach gheall mé daofa go bpillfinn chun talaimh nuair a bheadh mo chuid ama thuas.

Fiche bliain agus lá a chaith mé ar an talamh thirim. Ansin lá amháin, d'éirigh mé le bánú an lae agus d'imigh mé agus níor stad mé gur leag mé cruach an choirce bun os cionn go bhfuair mé mo bhrat.

Chaithfeadh Pádraig leithscéal a dhéanamh faoin áit a dteachaidh mé nó bhí rún aige nach dtiocfadh leis a sceith-eadh agus bheadh air é a thabhairt 'na huaighe leis.

Bhris sé mo chroí ag fágáil m'fhear céile agus na páistí ach bhí orm é a dhéanamh.

D'iarr mé ar Phádraig Óg comhartha a fhágáil sa chloch ar imeall na trá agus gheall mé go dtiocfainn ar ais go dtí an áit a raibh an comhartha achan seacht mbliana. Bímse ar ais mar a gheall mé ach níl glórtha ar bith fágtha anois níos mó.

Nollaig na nIontas

An bhó bhreac ba chiontaí leis seo uilig, amach agus isteach i gcuid na gcomharsanach. Bó a bhí inti nach dtiocfadh leat a choimhéad ar phoill phrátaí. Chaith sí an fómhar ar seachrán; leagfadh sí na claíocha agus d'imeodh sí léi. 'Sin locht nach raibh leigheas air,' a dúirt m'athair.

Sin an dóigh a bhris mise mo chos, nuair a thit cloch orm agus mé ar shiúl i ndiaidh na bó sin agus í ar cosa in airde, ag iarraidh í a thabhairt 'na bhaile agus a chur isteach sa riclín de bhóitheach atá aici. Lena chois sin dhóbair nár mharaigh sí Spot nuair a thug sí iarraidh drochainte air.

Trí mhí a bhí mé ag fanacht go cruaidh le Daidí na Nollag a theacht ach anois bhí mo chos briste agus mé i mo luí ar leaba san otharlann oíche Nollag.

Ligeadh na páistí eile amach 'na bhaile ón ospidéal don Nollaig agus bhí cead agamsa imeacht fosta ach ní thiocfadh liom de thairbhe drochaimsire agus farraigí arda. Bhí imní orm nach dtiocfadh Daidí na Nollag ar chor ar bith mar nár inis mé dó go raibh mé san otharlann, ach caidé an dóigh a dtiocfadh liom a inse dó nuair nach raibh a fhios agam féin ag an am? Bhí an litir sin scríofa agus curtha chuig an Mhol Thuaidh ó bhí mí na Samhna ann!

Bhí m'athair gaibhte ar an oileán leis an drochaimsir ach gheall an bhanaltra domh go raibh an stoirm le maolú agus go mbeadh Daidí amach ar maidin fá mo choinne.

I mo shuí ansin sa bharda mhór fholamh thoisigh mé ag smaointiú ar Mhamaí. Tháinig cumhaidh orm agus mhothaigh mé go raibh an barda iontach mór agus folamh nuair nach raibh aon duine ann ach mé féin.

An bhanaltra Máire a bhí ag tabhairt aire domh. Bhí sí iontach cineálta. Shílfeá go raibh aithne aici orm le fada an lá. Bhí a fhios aici go raibh dúil agam ag cur bádaí beaga ar snámh ar an uisce agus ag imirt peile. Bhí Gaeilge aici fosta agus bhí sé furast labhairt léi. Bhí a fhios aici go raibh madadh dubh agus bán agam agus bhí a fhios aici cá ainm a bhí air fosta. Bhuel, bíonn eolas ag banaltraí ar achan chineál ruda.

Roimh am tae, d'fhreastail muid ar cheolchoirm carúl Nollag san otharlann agus chuaigh muid chuig Seó na Nollag. Bhí an otharlann maisithe go galánta; crann Nollag ar thábla sa halla le soilse loinnireacha ildathacha, coinnle dearga ar lasadh sna fuinneoga agus cártaí Nollag ar shreangáin trasna ó thaobh go taobh in achan bharda. Chonaic mé Naomh Iósaef ag cur an leanbh Íosa ina luí sa mhainséar agus cheol an cór Oíche Chiúin.

Gheall an bhanaltra Máire domh go dtiocfadh Daidí na Nollag agus d'iarr sí ormsa a ghabháil a chodladh luath. D'fhan sí agam tamall beag ansin i ndiaidh a lá oibre mar nach raibh aon duine aici le ghabháil 'na bhaile chuige ach árasán fuar folamh. D'inis sí domh gurbh as Gaillimh ó dhúchas í. Bhí sí ar dualgas arís idir meán oíche agus maidin agus bhí sí ag gabháil a chodladh tamall san Ionad Altranais thuas staighre.

Sula dteachaidh mise a chodladh, chuir sí glaoch gutháin ar Dhaidí domh agus tháinig cnapán i mo sceadamán nuair a chuala mé a ghlór. Ba dheas liom a bheith sa bhaile le mo mhuintir cosúil le achan pháiste eile a raibh aithne agam orthu. Caithfidh muid an bhó bhreac sin a chuir ar téad nó súisteáil mhaith a thabhairt di nó í is ciontaí leis seo uilig.

Níl mórán cuimhne agamsa ar mo mháthair mar go bhfuil sí thuas sna flaitheas anois le fada an lá. Fuair sí bás nuair a tharla timpiste bóthair dúinn agus muid ar an bhealach go Baile Átha Cliath chuig m'aintín Nóra. Tháinig mise agus Daidí slán.

Dúirt mise mo chuid urnaí agus ghuigh mé chuig Mamaí sna flaitheas go dúthrachtach go dtiocfadh Daidí na Nollag chugam san otharlann agus, dá mbeadh an t-ádh liom, b'fhéidir cúpla bréagán beag eile a bheith sa bhaile domh.

Sula dteachaidh mé isteach a luí, d'amharc mé amach ar an fhuinneog. Bhí mé ag cuartú Daidí na Nollag sa spéir ach ní fhaca mé a dhath. Bhí an sneachta ag titim ina bhratóga éadroma geala ar an bhealach mhór agus ar dhíonta na dtithe. Bhí an aimsir socair cheana féin; bhí an stoirm thart.

Am éigin fríd an oíche chuala mé trup agus le cuidiú an tsolais as an halla chonaic mé fear mór ramhar le féasóg fhada gheal agus éadach dearg air ag bogadh thart sa bharda. Bhí an bhanaltra Máire ag tabhairt treorach dó.

D'fhág sé bronntanais ag taobh mo leapa. D'fhan mise go suaimhneach mar bhí a fhios agam nár chóir do pháistí Daidí na Nollag a fheiceáil oíche Nollag.

Ansin, thiontaigh Daidí na Nollag thart agus chuaigh ar a ghlúine, bhain sé fáinne beag amach as a phóca agus chuir ar mhéar an bhanaltra Máire é.

Tháinig deora lena súile, ach ghlan sí suas go gasta iad. Ansin d'éalaigh Daidí na Nollag amach an doras fá dheifre.

Sheasaigh sí ag amharc ar an fháinne agus aoibh an gháire uirthi. Bhí trua agamsa di. Ní raibh aici ach fáinne beag; bhí lán mála bronntanas fágtha domhsa.

Ní raibh uchtach agam bogadh agus bhí eagla orm m'anáil a tharraingt. Lig mé orm féin go raibh mé i mo chodladh. Caithfidh sé gur thit néal codlata orm gan mhoill ina dhiaidh sin.

Mhuscail an bhanaltra Máire mé le bánú an lae maidin lá Nollag. Bhí a fhios agam ansin go raibh sé sábháilte suí suas. D'fhoscail mé an mála a d'fhág Daidí na Nollag. Fuair mé bréagáin de gach sóirt ar an tsaol; míreanna mearaí, liathróid, leabhar fá ainmnithe feirme agus bád mór cosúil leis an Asgard le seoltaí órga uirthi.

Chuaigh mé fríd na bronntanais go cúramach agus mé lán lúcháire. Ghlan mé suas mo choirnéal go néata ansin agus d'fhan mé go foighideach le m'athair a theacht fá mo choinne.

Tuairim a naoi a chlog siúd isteach le Daidí agus aoibh an gháire air. Thug sé croí isteach mór domh. Choinnigh mise greim láimhe air agus níor lig mé ar shiúl é. Bhí scéal nuaíochta ag Daidí domh a dúirt sé. Gheall sé domh go n-inseodh sé an scéal domh nuair a shroicheadh muid an baile. Bhí mo chuid bréagán i gceann a chéile agam. D'amharc Daidí ar an fháinne loinnireach a bhí ar mhéar Mháire agus ansin thug sé cuireadh 'na bhaile di chuig dinnéar na Nollag linn. Bhí lúcháir mhór orm féin nuair a dúirt sí go dtiocfadh sí.

Is iomaí iontas a tharla domh an Nollaig sin ach bhí iontas eile romham ní ba mhoille nach ndéanfaidh mé dearmad de choíche. Agus is dóiche nach bhfuil an bhó bhreac sin chomh holc sin uilig i ndiaidh na dála nó, ach go bé í, b'fhéidir nach mbeadh an bhanaltra Máire 'na bhaile linn ar chor ar bith.